人間は老いを克服できない

池田清彦

角川新書

目次

Ⅲ　〝考える〟を考える　121

Ⅳ　この〝世界〟を動かすものは　181

I

人間に〝生きる意味〟はない

歳をとるということ

変わらないもの、変わるもの

次の誕生日が来ると75歳になる。所謂後期高齢者である。年寄りになってもあまり変わらないことと、激しく変わることがある。変わらないことの筆頭は自我である。「われ思う故にわれあり」で有名なデカルトは、自我は松果体に局在すると主張した。もちろんこの考えは現在では否定されているが、自我が脳のどこかに局在するという考えを支持する研究者は多い。脳科学者の澤口俊之は『「私」は脳のどこにいるのか』（ちくまプリマーブックス）と題する著書の中で、自我は前頭連合野に局在していると主張している。

もちろん、局在するという意味はスタティック（静的）に存在するということではなく、前頭連合野のダイナミックプロセスの結果生じるという意味である。脳は老化と共に徐々に縮退していくが、自我を司る部位はなかなか崩壊しないのであろう。私を含め多くの人は、昔の自分も今の自分も同じ自分だと思っている。加齢に伴い、前頭連合野の神経細胞も多少は減衰するだろうし、それを構成する高分子は毎日入れ替わっているが、自我が不変のように見えるのは、このダイナミックプロセスが、ある幅の中で変動しても、それを同じだと看做(みな)すメカニズムが働くためだと思われる。考えてみれば、異なるものを同じだと看做すのは人類に与えられた特技である、言語はまさにそうだからだ。自我の発生と言語の発生はパラレルなのかもしれない。

　自我はともかく、物忘れは確かにどんどんひどくなる。人の名前や山の名前といった固有名詞がなかなか思い出せないことがある。不思議なことに、同じように慣れ親しんでいる名前であっても、すぐに思い出せる名と、なかなか思いだせない名があるのはなぜだろう。自宅の前の道を上って行ったどん詰まりに高乗寺(こうじようじ)という古刹(こさつ)があるが、代々の檀家(だんか)の墓とは別に、新しく開発した墓地に、寺山修司(てらやましゆうじ)と忌野清志郎(いまわのきよしろう)の墓がある。私は寺山修司の名は昔から知っているし、忌野清志郎よりはるかになじみが深いが、忌野清志郎の名前はすぐに思い出せても、寺山修司の名前はとっさに思い出せないことの方が多い。

　若い時はそういうことはなかった。特殊な固有名詞をなかなか思い出せないのは、何かトラウマでもあるのか、それとも固有名を格納している場所から、引き出して、言語化するプロセスがスムーズに働かなくなったのか、どちらかなのだろう。恐らく、私の場合はトラウマといった精神的なものとは関係なく、コトバの引き出し方に問題があるのだと思う。

中央道の大月（おおつき）辺りからよく見える山に滝子山（たきごやま）がある。小金沢（こがねざわ）連峰の南端の山で、山梨大学に勤めていた時からよく知っている山なのだが、見る度に名前が思い出せないことに気づく。運転をしながら、何という山だったかなあと頭をぐるぐるさせて、暫（しばら）くすると思い出すこともあるが、なかなか思い出せないこともある。同じくらい馴染（なじ）みがある三つ峠（みとうげ）や大菩薩（だいぼさつ）峠や黒岳（くろだけ）はすぐ思い出せるのに不思議だ。固有名は脳の中に沢山格納されているのだが、整理が悪いので、すぐ思い出せる名となかなか思い出せない名があるのだろう。

大分前に、テレビのクイズ番組に出ないかと誘われたことがあるが、「知っているけど名前が出ない」という状態になるのは必定なので、断ったことがある。若い時は、頭の中にある名前はすぐに引き出せたが、歳と共に、だんだん引き出す速度が落ちてくる。格納されている固有名が多くなりすぎたせいかもしれないが、単に呆（ぼ）けただけかもしれない。

思い出せないのが固有名詞であるうちは、まだ大したことはないが、そのうち、ハサミやセロテープといった普通名詞にまで累が及んでくる。自宅で、女房と暮らしていると、それ取って、あれ取って、と代名詞ばかりになってくる。思い出せば思い出せないこともないのだが、いちいち物の名前を思い出すのが面倒になってくるのだ。そうなると、そろそろ人生も黄昏（たそがれ）である。それでも、俺だ、私だ、という自我は保たれているのだから、前頭連合野の自我の領域はよほど強固なのだろう。

体調よりも気力が落ちてくる

短期記憶の能力が衰えてくるとともに、物をひょいと置いた場所を忘れてしまうことが多くなった。外出先から帰ってきたら、まず玄関の鍵（かぎ）や車の鍵は所定の場所に置くようにしているが、尿意が待ったなしで襲ってきて、まずトイレに行かなければならないことがある。その辺に鍵を置いて、用を足してから片付けようと思うのだが、トイレから出てきた時はすでに鍵のことは忘れている。それで、次に外出する時に鍵を探すことになる。忘れたのが携帯であれば、電話をかければ家のどこかで鳴るので見つけるのは簡単だが、鍵は何も言ってくれないので往生する。

何かをしようと思って立ち上がるまではいいのだが、立ち上がった瞬間に何のために立ち上がったか分からなくなることも多くなった。食事の最中にトウガラシを取りに行こうと思って冷蔵庫を開けた途端に、何のために冷蔵庫を開けたのか忘れていることがある。

そんなことは昔からだと女房は言うのだが、昔はそれほどひどくはなかった。いくつかのことを同時に考えることが難しくなったのかもしれない。「トウガラシを取りに行こう」とまず考える。そのためには「冷蔵庫を開けなければ」と次に考える。すると、脳は「冷蔵庫を開けなければ」という考えに占有されて、「トウガラシを取りに行く」という肝腎な目的を忘れているのだ。

元々、左目は軽い緑内障で、両目とも多少白内障が出始めたので、眼は大分悪くなった。飛んでいる虫の種類を判別するのが困難になってきた。左足は軽い変形性膝関節症で、正座が難しい、長い階段を歩くと痛みが出る、といったようなことは正常な老化現象なので、こんなもんだと思っているが、体の不調よりも、気力がなくなってきた。どこといって、日常生活に差しさわりがあるほど悪いところはないのだけれど、やる気が出ないのである。

養老孟司さんは、別にどこも痛くないのだが、うつでやる気が出ない日々が数か月続き、病院に行ったら、心筋梗塞だったのだ。糖尿病があって痛みを感じなかったようだが、それにしても、老人は体の異変をいち早く察知する能力が無くなってくるのは確かであろう。

「面倒なこと」も増えてきた

よく老人は早起きだと言われるが、私に関して言えば、朝起きるのは苦手だ。というよりも、今の状況から次の状況に移行するのが面倒になってきたのだ。歳をとって、若い時と最も異なるのはまさにそこなのだ。朝は結構早く目が覚めるのだが、起き上がるのが面倒なので、トイレに行ってそのままゴロゴロしていると、またウツラウツラして、1〜2時間はすぐに経ってしまい、起きるのは8時半〜9時になってしまう。

やっと起き上がって、台所に行くと、女房はすでに朝飯をすましているので、自分の朝飯は自分で作る。いつも作るものは大体決まっていて、卵焼きかオムレツ、それに味噌汁である。庭で取れたオクラやトマトを添えることもある。おかげて、卵焼きやオムレツを作るのは上手くなった。

カミさんはほとんど味噌汁を飲まないので、味噌汁は自己流である。味噌は女房に教わって自分で作った自家製である。本枯節の無加塩だしを200mlの水の入った鍋に入れて、ナメコを入れてシイタケがあればこれも少し入れて、ワカメを少々、ネギも少々入れて、火にかけて、沸騰してきたら火を止めて、庭で取れた金時草や茗荷を少し浮かべて、最後に味噌を溶かして、トウガラシの粉を振って出来上がりだ。自宅で栽培したずいき（ヤツガシラの茎を干したもの）やコマツナを入れることもある。結構凝っているので、これだけするのに30分はかかる。献立が毎日ほぼ同じなのは、新しい献立を考えるのが面倒だからだ。

卵焼きは小ねぎを刻んで卵液に混ぜ、塩を少々水も少々入れて、弱火のフライパンに流し入れて、ほんの僅(わず)か固まりだした頃を見計らって、ヘラでくるくると巻いてゆく。これはなかなかタイミングが難しいが、慣れれば簡単で、見事なオムレツができる。女房はお茶を飲んで僕が食べるのを見ている。


時々講演を頼まれて出かけるが、講演で一番気を遣うのは、電車や飛行機に乗り遅れることである。地方に講演に行く時に、飛行機に乗り遅れるとアウトなので、途中で電車が多少遅延しても大丈夫なように、羽田空港には遅くても出発の1時間前に着く予定で出かける。若い時は、電車がストップしても、素早く経路を変える判断ができたが、歳をとるとそれが面倒になってくるのだ。それならば、羽田空港で1時間待っていた方が楽だ。というわけで、羽田空港に無事着くと、もう講演は終わったような気分になる。

自宅にいるときは、5時くらいまでは仕事をして、5時を過ぎるとまず焼酎(しょうちゅう)のお湯割りを飲んで、女房に作ってもらった夕食を食べる。女房はスパークリングワイン一辺倒なので、私も1杯くらい付き合って、後は日本酒か焼酎である。日本酒は七賢の「風凜美山」、焼酎は「さつま白波」と決まっている。食事の時はビールは飲まないことの方が多い。ビールは食事の後で風呂から出た時に飲む。これはヱビスの缶と決まっている。いつも同じ銘柄の酒ばかり飲んでいて、よく飽きないね、と言われそうだけれども、代えるのが面倒なのだ。

運動と思っての風呂掃除

食事の後片づけは女房がしてくれる。その後でまず女房が風呂に入る。僕が後で入るのは風呂の掃除が僕の仕事だからだ。水を落としてバスマジックリンで洗い、ぬるま湯をかけてよく落とし、タオルで天井まで隈なく拭いて終了である。これは一日の仕事で一番大変だ。風呂を出てから小1時間かかる。毎日、ピカピカに掃除をしているせいか、風呂を換えてからもう7～8年経つけれども、カビは全く生えていない。どんなホテルの風呂よりきれいだと思う。まあ、運動だと思ってやっているんだけれどね。

それから、ビールを飲んで、寛ぐのだが、寝ようと思うと、その前に除湿器をかけたり歯を磨いたりしなければならない。それが面倒なので、ついつい夜更かしすることになる。そろそろ寝ようかなと思うのが12時前で、実際に寝床に入るのは大概12時半過ぎになる。私にとって、歳をとるとはどうやらそういうことらしい。

ついに後期高齢者になる

国は高齢者に意地悪だ

２０２２年の７月14日でついに後期高齢者になった。２３０年ほど前（１７８９年）のこの日はフランス革命が勃発(ぼっぱつ)した日であり、７月14日はフランス革命記念日（パリ祭）で、フランス共和国の建国記念日でもある。市民革命を経験したことがない日本には、フランス共和国と同じような意味での建国記念日はない。しいて挙げるとすれば、日本国憲法が施行された１９４７年５月３日をもって、大日本帝国の桎梏(しっこく)から脱した民主主義国家・日本の、建国記念日とした方が合理的だと思うが、周知のようにこの日は憲法記念日で、建国記念の日は、初代天皇とされる、実在したどうか定かでない、神武(じんむ)天皇の即位日ということになっている２月11日である。真(まこと)にいい加減だ。

ところで、国は高齢者をいじめたくて仕方がないようで、いろいろと意地悪をする。ちょうど運転免許証の更新の時期だった私は、免許の更新の申請の前に、認知機能検査を受検しろというはがきが来て、パソコンで予約をして、3月23日、八王子（はちおうじ）分室に検査を受けに行った。この検査というのが年寄りを馬鹿にしたような検査で、まず、今は何年何月何日何曜日の何時何分かという設問があって、次に16種類のイラストを見せられて何が描かれているかよく覚えておくようにとの指示があり、次いで数字の列の中から、指示された数字（例えば3とか7とか）だけに斜線を入れろという課題をこなし、その後で、先ほど見せた16種類のイラストを思い出して何が描かれているか記せという設問があり、思い出せなかったイラストについてはヒントを与えるので、それで思い出してもらいたいという話が続き、最後に指示された時刻をアナログの時計盤に書き入れろという問題で終了である。

このうち、数列の数字に斜線を入れるテストは採点対象にならず、直前にやったイラストを忘れさせるためにやっているとしか思えないので、かなり意地悪である。満点は100点で76点以上は2時間の高齢者講習、49点以上76点未満は3時間の高齢者講習、49点未満は病院に行って専門医の診断を受けて、認知症ということであれば、免許の取り消し処分という流れになる。

49点以上であれば、高齢者講習を受けろということで、指定の自動車教習所に連絡して、予約をとるということになるが、この予約がかなり先まで埋まっていてなかなか取れないのである。空いている日は仕事が入っていてNGだったりする。国は高齢者が暇でいくらでも時間があると思っているようで、忙しい人のことは無視している。確かに確率的には高齢者になるほど認知症の人が増えるけれども、若い人でも認知症の人はいるわけで、高齢者のみに認知機能検査を行うのは差別であろう。免許の更新時に全員に受けさせるというのなら公平であるが、認知症と運転不適格者は別の概念なので、この観点からも、この制度には問題が多い。

認知機能検査は、今は何日で何時何分という問題と、時刻を時計の文字盤に書き込む問題さえクリアーすれば38点が取れ、それに加えて、16種類のイラストのうち6問正解すれば49点取れるので、これ以下の人は認知機能が落ちていることは確かだろう。しかし、運転は、基本的に近過去の状況ではなく、現在の状況を把握していればOKで、こういった直前に見せられたイラストを覚えておく認知機能検査の成績が悪くとも、事故を起こし易いとは限らない。

技術の進歩は利権を超える

認知症と医者が勝手に判断した人から、運転免許証を剝奪するのは基本的人権の侵害である。犯罪を起こした人を刑務所に収容したり、自己責任の重大な交通事故を繰り返し起こした人から運転免許を剝奪するのは理にかなっているが、犯罪を起こしそうだという理由で予防拘束したり、事故を起こしそうだという理由で運転免許を剝奪したりするのは、正義とは言い難い。

認知症でなくとも、煽り運転をしたり、重大事故を繰り返し起こしたりしている人はいるわけで、こういう人から免許を剝奪する方が認知症の人から免許を剝奪するよりずっと効果的だ。私の知り合いは、アルツハイマー病だと医者に診断されて、暫く経ってから正常に戻って、それから20年以上呆けないで生きた。医者の診断はかなり怪しいのだ。それに比べ、交通事故の原因は比較的はっきりしている。例えば5年の間に重大事故の第一当事者に3回なった人は免許剝奪と決めておけば、認知機能検査とか高齢者講習とか余計なことをしなくとも、重大事故はかなり減るだろうと思う。

まあ、高齢者いじめのシステムは利権のためにやっているに違いないので、私がぶつぶつ言ってもなくならないだろうけれどもね。時に私の認知機能検査の点数は90点で、まあ普通だった。去年亡くなった義理の兄は１００点だったそうで、私はすごい人がいるとびっくりしたが、暫くして運転は向いていないので、もうやめると言って免許を自主返納してしまった。認知機能が抜群でも運転に向いているとは限らないってことだ。

そのうち、自動運転の車が主流になれば、AIが判断して運転するわけだから、車に乗るのに免許はいらなくなる。認知機能検査や高齢者講習などのおためごかしの制度もなくなって清々するが、そうなると、運転免許にまつわる利権は消滅するわけで、利権団体はこぞって抵抗して、何のかんのと言って免許制度を維持すべく画策すると思う。しかしそれも時間の問題で、AIの判断の方が生身の判断よりはるかに正確で素早いことが誰の目にも明らかになれば、免許制度は過去のものとなることは間違いない。技術の進歩は利権を超えるのだ。

後期高齢者になって、なんだこれはと思ったもう一つのことは、医療保険を、勤務している会社の保険から抜けさせられたことだ。それに伴って「後期高齢者医療被保険者証」なるものが送られてきて、今まで2割負担だったものが3割負担に上がった。まあそれはいいのだが、7月に送られてきた保険証の有効期限が7月14日から7月31日で、その後送られてきた保険証の有効期限は8月1日から9月30日で、10月1日にまた新しい保険証を送ってくるとのこと。この保険証の有効期限は2024年の7月31日までということで、何でこんなに頻繁に保険証を次々と変えるのか不思議だ。金と労力の無駄だと思うが、保険証を変更するたびに医療費の窓口負担額を増やそうとの陰謀だな、きっと。

何のために生きているのだと時々思う

それにしてもコロナ禍で蟄居（ちっきょ）している間に、体力気力ともだんだん落ちてきたことを実感するのは、老化は自然現象だから仕方がないとしても、あまりいい気分のものじゃない。特に朝、ベッドから起き上がるのがかったるい。夜は早くても0時少し過ぎ、遅ければ1時過ぎまで起きているので、朝は8時に目が覚めても、起き上がる気がしない。トイレに行った後、ベッドの脇の雨戸をあけて網戸にすると、朝の多少涼しい風が吹き込んでくるので、またベッドに転がって涼風に当たっているうちに9時近くになって、仕方がないから起き上がる。

朝飯を食べ終わると、溜（た）まった仕事を片付けていく。今年（2022年）に入って本を5冊出した（『もうすぐいなくなります　絶滅の生物学』文庫版、『病院に行かない生き方』、『SDGsの大嘘』、『年寄りは本気だ』〈養老孟司さんとの共著〉、『バカの災厄』）ので、結構忙しかったのだ。この後も4冊出版予定があって、ここのところゲラの校正に追われている。

今年は9冊本を出すことになりそうだ。その間にメルマガと「池田清彦の森羅万象」というYouTubeとVoicyをやっているので、今もそれなりに忙しく、虫採りもあまり行けないのだ。何のために生きているのだと時々思うけど、まあそれも人生だから、楽しみながらやるしかない。後期高齢者も大変なのだ。

そうこうしているうちに午後5時になる。やっと酒が飲める。後は寝るまでグダグダしていて仕事は基本的にしない。だから10時に寝ても11時に寝ても一向にかまわないのだけれど、つい惰性で夜更かしをしてしまうのだ。一度寝てしまうと起きるのが面倒で、一度起きると寝るのが面倒なのだ。一度死んだら生き返るのが面倒なのでそのまま死んでいることになりそうだ。足腰が弱くなり眼も悪くなったけれども、とりあえず生きているので、まあ良しとしよう。

歳をとって分かったこと――人生に生きる意味はない

死ぬのが怖いのは人間だけ

この本の前にKADOKAWAから『バカにつける薬はない』という本を上梓した。その中のV章は「老いの人生論」と題して、老人になった感慨を綴っている。昔まだ若かった頃『昆虫のパンセ』（青土社、後『虫の思想誌』と改題して講談社学術文庫）に収められた「ファーブルと彼の虫たち」の中で、ファーブルが再婚相手との間に、ファーブル64歳、66歳、71歳の時に子宝に恵まれたという話に続いて、「残念ながら私は老人になったことがないので、71歳で子供を作るという意味がよく分からぬ」と偉そうなことを書いた。

それから30年の時が過ぎて、今や75歳というまごうことなき年寄りになったが、71歳で子供を作るという意味がよく分かるようになったかというと、やっぱりよく分からないのである。肉体的な老化とはどういうことかを、身に染みて分かるようになる以外には、歳をとったからといって分かるようになることはあまりない。

しかし、そんな中でも、ああそうだったのかと分かることも稀にある。75歳を過ぎた老人になってよく分かったのは、人生に生きる意味なんかないという、当たり前の事実である。若い時は、頭に余力があって余計なことを考えるので、人生の意味なんてことも考えたくなるが、心を虚しくして見れば、人生に意味なんかないのは当然の気がする。そもそも、悠久の宇宙の歴史から見れば、人類の生存や繁殖に何か意味があるかといえば、何の意味もなさそうだ。

冒頭に挙げた「老いの人生論」を書いてから、まだ1年ほどしか経っていないが、「人生に生きる意味などない」ということがしみじみと腑に落ちたのは、1年歳をとった成果である。これで、死ぬのがあまり怖くなくなった。私は若い頃から、徹底した無神論者で、宗教に魅力を感じたことは一度もない。宗教を信じる人は、結局のところ死ぬのが怖いのだと思う。

動物は、苦痛から逃れたいとは思うだろうが、死ぬのは怖くないに違いない。そう断言すると、動物になったことがないのに、どうしてそんなことが分かるんだ、と絡んでくる人がいそうだけれど、動物は、脳の構造からして、人間のように確固とした自我を有していないので、死ぬのは怖くない、と考えて差し支えない。

人間が死ぬのが怖いのは、自我がなくなるからである。前述のように現在の脳科学の見解では、自我は前頭連合野に局在するようだ。ここは人間で一番よく発達している。個人の内的な感覚としては、自我は自分以外の全存在と拮抗する唯一無二の実在である。自我がなくなるということは、自分以外の存在物（の少なくとも一部）は無傷のまま保たれるのに、自分にとって唯一無二の自我が喪失することを意味する。従って、死が自我の喪失を不可避にもたらすのであれば、死が怖くないわけはないということになる。

宗教は死後の自我の存在を保証すると言っているわけだから（もちろん空手形に決まっているけれどもね）、自我の喪失が怖い人にとって、一縷の望みだという話はよく分かる。それで、カルト宗教は、お布施をすれば天国に行けると騙して、死ぬのが怖い人から金を巻き上げるわけだ。全世界的に見れば、何らかの宗教を信じている人の方が多いのは、多くの人は死の恐怖を、死後の自我の存在を信じることによって紛らわせようとしているからである。

人類もそのうち絶滅する、と考えてみる

ところで、こういう話になるのは、自分や人類が生きることに何らかの意味があると考えるからで、意味などないと考えてしまえば、話はまるで違ってくる。自分ももうすぐ死んで自我も消滅するけれども、人類そのものもいずれ絶滅して、すべての人の自我も消滅すれば、すべてはチャラになるわけで、死を恐れる理由は全くなくなる。

というふうに考えることができるようになったので、死ぬのはあまり怖くなくなったのだ。前提をひっくり返せば、見える風景も全く違ってくる。ということが分かったところで、老いから解放されるわけではないけれどもね。まあ、何でそんなことを考えるようになったかといえば、自分の余命はもはや幾許(いくばく)も無く、死ぬまでに活動できる時間はごく僅かなのを悟ったからだ。

私ばかりではないと思うけれども、末期がんなどで余命宣告されていない限り、普通に元気な人は、60歳代くらいまでは、客観的には自分の残りの人生は有限だということは分かっていても、主観的には人生は無限に続くと思っている(まあ、そうでない人もいるかもしれないけどね)。

老化に加速度がかかる前までは、1年前までの自分の心身の状態と現在の状態はさして

違いがないのが普通だろう。去年できたことは概ね現在もできる。だから、来年もできるに違いない。この状態が続く限り、人生は無限である。

もちろん客観的には人生は有限であることは分かっている。亡くなった自分の父母や知り合いの老化現象をつぶさに観察した身としては、自分もいずれ同じ軌跡を辿って、死ぬんだということは、頭ではよく分かる。しかし、自分の老化に加速度がかかる前までは、主観的には、自分の死は腑に落ちない。

視力は3・5くらいあったはず

カミキリムシやクワガタムシの標本蒐集にトチ狂っていた60歳代までは、自分で採集に行ったり、人からもらったり、購入したりして、ひたすら種類数と個体数を蓄積することに情熱を傾けていた。昆虫の標本はマウントして（大きいものはピンを虫体に直接刺し、小さいものは虫体を台紙に貼って台紙にピンを刺し、採集地や採集年月日、採集者などのデータを付けて）標本箱に収めて、はじめて研究に使えるまともな標本になる。私の手元には、まだそこまでに至らない未整理のものが山ほどある。

つい最近までは、採集する体力があるうちは、なるべく沢山昆虫を集めて、いざ足腰が立たなくなってから、ゆっくりマウントすればよいと思っていたのである。今のスピードでマウントしていると、全部終わるのに250年くらいかかるな、と軽口を叩いていたが、心のどこかでは、真面目に取り組めばあと10年くらいで片付くと思っていたわけだ。

ところがである。若い時に比べて、マウントするのに、時間がものすごく余計にかかることに気が付いた。まず目が悪くなった。マウントするのに一番重要なのは、目の良さである。若い時は視力が恐らく3・5くらいはあったと思う。小学校や中学校では、視力の検査は体育館の壁に検査検査表が張ってあって、何メートルか後方から、片目ずつ検査をするのだが、私は体育館に入った途端にほぼすべて明瞭に見えていたので、公式には2・0ということになっていたが（それ以上の測定はなかった）、実際には3・5くらいはあったと思う。

視力がいい人は老眼になるのが早いと言われているが、私の場合は50歳代の半ばまで老眼は出なかった。早稲田大学に勤めるまではパソコンは使わなかったし、テレビもほとんど見なかったのが良かったのかもしれない。早稲田大学に勤めだして、大学から強制的にパソコンを供与されて、大学からのお知らせはすべてメールで来るようになった。無理やりパソコンを使わされるようになり、老眼鏡が必要になったのである。それでも、10年くらい前までは、原稿は手書きで書いていた。

最初は百均の＋１・０という老眼鏡で十分間に合っていたが、老眼はどんどん進んで、あまつさえ、左目は緑内障が出るわ、右目は乱視になるわで、目はすっかり悪くなった。それでも、緑内障の目薬を貰(もら)いに眼医者に行くと、視力は両方とも１・２と言われるので、まあ、歳の割にはいい方なのかもしれないが、細かい作業をするにはビノキュラー（双眼実体顕微鏡）で覗(のぞ)きながらせざるを得なくなった。効率が悪いこと甚だしい。

意味などないと考えれば

目が悪くなることと並んで支障が出たのは、指先の器用さが失われてきたことである。ものすごく細かい作業をする際には、先の尖(とが)ったピンセットを使うのだが、指先が震えているというわけではないのに、微妙にやりたいことと実際にやることがずれるのである。例えば、カミキリムシの触角は長く、マウントしている途中でよく切れる。ピンセットで切れた触角を挟んで、白色ボンドをごく僅か付けて繋(つな)げるのだが、位置が微妙にずれるのである。若い時はそういうことはなかった。微妙なバランスをとることが難しくなってきたのだと思う。

眼を瞑(つむ)って片足で立つことができる時間はどんどん短くなってきた。それと共に、実際に歩いていて、バランスを崩しそうになることが稀にあり、駅のホームの端を歩くのが怖くなった。若い時は杖をついている老人を見ると、結構早く歩けて、筋力もありそうなのに、杖を突く必要なんてないだろうと思っていた。杖は筋力を補うためではなく、バランスを補うためなのだ、なんて露も考えたことがなかったからだ。

昆虫の標本をマウントしていると、バランスが悪くなったのは足元ばかりではなく手元も選ぶところがないことがよく分かる。ピンセットの先に挟んだものを動かさないでおこうと思っても、微妙に動いてしまうのである。もう一つ、根気がなくなった。2時間も集中してマウントをすると、疲れる。というわけで、未整理の標本を全部マウントするには250年くらいかかるというのは冗談ではなくなってきた。

いずれ、ああいうこともしたい、こういうこともしたい、と考えているうちは主観的には人生は無限だと思っている証拠である。人生は有限だと悟ると、あれもこれもできそうにないと分かり、寂しくなったり、悲しくなったりする。それは、自分の行いに意味があると考えるからで、生きていることに意味などないと考えれば、思い煩うこともない。

自分を含めて、すべての存在物はいずれ無に帰するのである。そう考えれば、心は平らになる。エッ、やっぱり死ぬのは怖いって⁉ 困りましたね。

「老化は病気である」という説について

老いに関する「楽観的な希望」

昔、老化はウイルスによる感染症かもしれないというエッセイを『現代思想』に書いたことがある。１９９０年だと記憶する。少し長いけれども引用する。

もう十年以上前の、私が教師になりたての頃、私はなぜ老化が起こるかについて考えていたことがあった。私が考えた答の一つは、それは老化ウイルスによる病気である、というものだった。このウイルスは地球上のほとんどの動植物にとりついており、徐々に進行してホストを死に至らしめる恐るべき病原体である。すべての人が病気の社会では、病変は正常な生理的変化とみなされる。かつてどこかで全住民がすべてハンセン氏病に冒されている村があった、と聞いたことがある。当然ここではハンセン氏病の病変は老化現象とみなされ、人々は仕方がないとあきらめて暮らしていたわけだ。
老化は病気である。この素晴らしいアイデアは二週間ばかりの間私をとりこにした。老化ウイルスフリーの個体を作ってやれば、人類の究極の夢、不老不死は現実のものになるかも知れない。（「原型という夢」『昆虫のパンセ』所収、青土社、1992）

最近、『LIFESPAN 老いなき世界』（デビッド・A・シンクレア&マシュー・D・ラプラント著 梶山（かじやま）あゆみ訳、東洋経済新報社、2020）を読んでいたら、ほぼ同じアイデアが書いてあって、びっくりした。

2028年、1人の科学者が新種のウイルスを発見しLINE－1と名づける。やがて、私たち全員がそのウイルスに感染していることや、それを両親から受け継いでいることが明らかになる。そのうえ、ほかの主だった病気のほとんど（糖尿病、心臓病、がん、認知症）についても、このウイルスが原因だったと判明する。（中略）新しい世代は出生時にワクチンを投与されるため、両親より50年長く生きる。のちにそれが人類本来の寿命だったとわかる。私たちは知らなかっただけなのだ。健康になった新世代の人類は、古い世代に憐れみの目を向ける。50歳で体が衰え始めるのが自然であり、80歳まで来られれば良い人生をまっとうしたなどと、なんでそんな考えをやみくもに信じていたのだろう、と。

もちろんこれは私が今こしらえたＳＦ物語だ。しかし、読者が思う以上に真実を衝いているかもしれない。（同書１６０－１６１ページ）

シンクレアの本の30年も前に、同じアイデアを考えていたことを自慢するつもりはない。なぜならば、この考えは恐らく間違いだからだ。早老症という病気がある。いくつかのタイプの早老症があって、日本人に多いのはウェルナー症候群で20代から老化（白内障、脱毛、白髪、ロコモシンドローム）が始まり、実年齢よりもはるかに老けて見える劣性の遺伝病である。ＤＮＡが傷ついたときの修復に関与するＤＮＡヘリカーゼをコードする遺伝子に難があるようだ。他にも、はるかに稀で重症なハッチンソン・ギルフォード症候群という早老症があり、これは優性の遺伝病で、患者は10歳未満から老化が始まり、15歳くらいまでしか生きられない。

シンクレアは、ウェルナー症候群という特殊な老化が病気であれば、通常の老化も病気と考えてもおかしくはないと言いたいようであるが、早老症と通常の老化はレベルが違う。早老症が病気であることは間違いない。なる人もならない人もいるからだ。しかし通常の老化は、すべての人が遭遇する事態であり、例外はない。病気というのは異常のことであり、すべての人が遭遇する心身の状態は通常であって、それを異常と考えるのは無理がある。老化を病気だと言い張る人も、赤ちゃんが成長するのを病気だと言う人はいない。

シンクレアは「老化は1個の病気である。私はそう確信している。その病気は治療可能であり、私たちが生きている間に治せるようになると信じている。そうなれば、人間の健康に対する私たちの見方は根底からくつがえるだろう」（前掲書160ページ）と楽観的な希望を述べており、この楽観性が、この本がベストセラーになった原因であろう。多くの人は不老不死になる魔法の方法が書いてあるかもしれないと期待して買ったのだと思うが、中身は結構専門的で、生物学や基礎医学の知識が乏しい人が理解するのは容易でないと思う。

かつて、理論物理学者のスティーヴン・ホーキングが一般向けに書いた『ホーキング、宇宙を語る』は全世界で1000万部（日本語版110万部）の大ベストセラーになったが、車椅子の天才科学者（ホーキングはALS＝筋萎縮性側索硬化症を患っていた）という話題性と、理論物理の本にもかかわらず、数式が一つしかないという一見読み易そうな体裁に釣られて買った人がほとんどだと思うが、内容を正確に理解した人はごく少数ではないだろうか。中身が理解できなくても、何らかの流行で、本は売れてしまうことがあるのだ。

老化とゲノムの変異

老化が一つの病気である、という考えが魅力的なのはわかる。老化に伴って、がん、糖尿病、動脈硬化、運動機能や認知機能の低下、といった様々な心身の不調が起こる。もし老化が一つの病気であれば、これらの不調に対して個別に対応しなくとも、老化という一つの病気を治しさえすれば、すべての不調は解消するからだ。しかし果たして、そんな夢のようなことがあり得るのだろうか。

シンクレアが期待しているのはエピゲノムである。老化の原因は大きく分けると二つあって、一つはゲノムの変異である。もう一つはエピゲノムの変化である。

まず前者に関して述べると、生きている間にDNAは様々なストレス（放射線や紫外線や化学物質など）を受けて損傷する。損傷した個所は修復酵素により修復されるが、時に元通りに修復されずに、塩基配列が違って修復されることがある。これが突然変異である。

突然変異が起きてもほとんど影響がない場合もあるが、原がん遺伝子ががん遺伝子に変異するとか、がん抑制遺伝子が変異して機能しなくなるとか、そのほかの正常な遺伝子が変異して異常な遺伝子に変わり、様々な不調が現れるとか、生きていればこういった変化は不可避である。本来、我々の体にはDNAの損傷を完璧（かんぺき）に戻すメカニズムがあって、それが何らかの病原体によって阻害されているということであれば、老化は病気だと言えるかもしれないが、そんなことはありそうもないから、老化は病気だという言説には与（くみ）するわけにはいかない。

老化に伴って、染色体の末端にあるテロメアは徐々に短くなる。ヒトでは大凡（おおよそ）50回細胞分裂を繰り返すと、テロメアがなくなって、細胞の寿命が尽きると言われている。これをヘイフリック限界という。寿命が長い動物はヘイフリック限界が長く、寿命の短い動物はヘイフリック限界が短いことが分かっている。老化が一つの病気だとすると、正常状態の動物はヘイフリック限界が長く（あるいは限界がなく）、病原体がこの限界を短くしているということになるが、どう考えてもそんな話はありそうにない。

ちなみに植物ではほぼヘイフリック限界がなく、短くなったテロメアを長くするテロメラーゼという酵素が働いているので、テロメアの長さが保たれる。それで、一般的には動物よりもはるかに寿命が長く、アメリカヤマナラシ（ヤナギ科の広葉樹の一種）のように

1万年以上生きているものもある。老化が一つの病気であるとすると、病原体がテロメラーゼの活性を抑えているということになりそうだが、テロメラーゼ活性が常に保たれている不死の細胞はがん細胞だ。とすると、がん細胞は病気に冒されていない細胞だという不思議な話になる。

老化とエピゲノムの変異

ところで、もう一つの老化の原因はエピゲノム（エピジェネティックス）の変化である。エピゲノムとはDNA自体の塩基配列の変更を伴わない、遺伝子の制御機構のことである。遺伝子は存在するだけでは機能しない。遺伝子が発現してタンパク質を作るためには、遺伝子のスイッチをONにする必要がある。あるいは、遺伝子の発現を抑制すべき細胞では、遺伝子のスイッチをOFFにする必要がある。これを制御しているのがエピゲノムである。

DNAメチル化という現象があって、DNAの上流から見てCG（シトシン・グアニン）と並んでいる塩基配列のCにメチル基が付着すると、このDNAは転写（DNAの情報をmRNAに変えること）されず、タンパク質を作ることができない。さらにDNAの周りにはヒストンというタンパク質が巻きついていて、巻きつき方が強ければ、DNAは転写されずに遺伝子は働かず、巻きつき方が緩めば、遺伝子が転写されてタンパク質が作られる。分化した細胞（皮膚の細胞とか肝臓の細胞とか）では、その細胞の機能に必要なごく僅かの遺伝子しか働いておらず、ほかの沢山の遺伝子は発現を制御されている。長寿遺伝子として知られるサーチュイン遺伝子は、ＤＮＡへのヒストンの巻きつきを強める働きを持ち、不必要な遺伝子が無闇に働かないように制御している。この遺伝子の働きが弱まると、分化した細胞における遺伝子発現の制御がうまくいかず、老化を促進すると考えられる。

シンクレアのアイデアは、エピゲノムの状態を若いときと同じように保てれば、老化を防ぐことができるはずだというもので、確かにその通りかもしれない。

カロリー制限、断続的絶食、適度なストレスなどはサーチュイン遺伝子を働かせて、寿命を延ばすと考えられている。しかし、サーチュイン遺伝子が働かなくなって、エピゲノムが劣化するのは、病気の結果だという考えには無理があると思う。エピゲノムの劣化には様々な原因があって、一つの根本原因を取り除けば、エピゲノムが一気に若返るというのは見果てぬ夢だ。

シンクレアは能天気にも、今日生まれた子供が中年になるまでには、現時点でトップの長寿者であるジャンヌ・カルマン（１２２年１６４日まで生きた）は歴代長寿者のトップ１

００にも入っていないだろうと予言するが、カルマンが亡くなったのは１９９７年で、26年も前だ。それから医学は長足の進歩を遂げているにもかかわらず、この記録は破られていない。残念ながら、ヒトの最大寿命はこの辺りで、多くの人がこの記録に近づくか、ほんの僅か破ることはできても、１５０歳といった長寿になることはないだろう。

老人になるということ

病院にて「まあ老化ですね」

コロナ禍で自宅でごろごろしている間に、ずいぶん歳をとったような気がする。食欲は普通にあるし、睡眠障害もなく、酒は毎日飲んでいて、別にどこも取り立てて具合が悪いところはないのだけれども、若い時に比べて、やはり気力が落ちた気がする。セロトニンと男性ホルモンの分泌が落ちたのかもしれない。男性ホルモンは寿命を縮めるので、長生きするかも知れないなと思うと、ちょっと嬉(うれ)しい気もするけれど、エロ抜きで長生きしてもしょうがないか。

若い人は老人になったことがないので、老人のことはよく分からないのと反対に、老人は昔若者だったので、若者だった時の自分についてはよく分かるものだ。老人と若者はこの点に関しては非対称なのである。これは老人と若者の大きな違いである。若い時は老人がオタオタ歩いているのを見ても、脚が悪いんだ、あるいはうまく歩けなくて可哀そうだなとは思っても、どんな気持ちでオタオタ歩いているかまでは、思い至ることはなかった。

いざ自分が老人になってオタオタ歩くようになって分かったことは、歩くことを意識せずに歩くのが難しくなってきたことだ。5〜6年ほど前から足の裏に違和感があって、はだしで床の上を歩くと気持ちが悪い。調べてみると、足底筋膜炎とか糖尿病とか、いろいろな可能性があるのだけれど、どうにもぴったり当てはまる症状がない。念のために、懇意にしている近所のお医者さんに診てもらったのだけれども、「まあ老化ですね」と言われて胡麻化されてしまった。そんなことは言われなくても分かっている。自分で調べて分からないときは、医者に行ってもまず分からないことがよくわかった。

足裏に違和感が出る数年前、柵を乗り越えようとして膝を痛め、痛くて歩くのに不自由したことがあって、このときも整形外科に行ってレントゲンを撮ってもらった。変形性膝関節症と診断され、暫く通院するように言われたが、レントゲン写真を見せてもらって、大したことないと自分で判断して、それきり、整形外科には行っていない。座って仕事をしているとき、太腿の間にゴムのボールを挟んで、狭めたり緩めたりという運動をしているうちに治ってしまった。それでも、階段を下りたりするときに稀に痛みが出て、飛んでいる虫を走って追いかけるのが怖くなった。いきなり膝がガクッてきたらどうしようと思ってしまうのである。

駅の通路を並んで歩いていた若い人が、発車のベルが鳴った途端に、走って階段を上がったり、下りたりするのを見ると、羨ましいとは思うけれども、まねをする元気はない。走れば走れるような気がするが、バランスが悪くなったので、転んだらあの世行きかも、と思うととても走る勇気はない。若者は走ることを意識せずに反射的に走っているに違いない。若い時の自分がそうだったからよく分かる。

私がまだ40代の頃、坂の上にあった自宅から、坂道を小走りに降りて駅に行く途中で、白い小さな犬を連れたおばあさんによく会った。おばあさんは私を見ると「行ってらっしゃい。若い人はいいね、元気で」と声をかけてくれたが、「別に元気じゃねえよ。普通だよ」と思っていた。今、若い人が階段を駆け上がっていくのを見ると、「若い人はいいね、元気で」と言ったおばあさんの気持ちがよく分かる。当の若者は「別に元気じゃねえよ。遅刻しそうなだけだよ」と思っていることだろう。

若い時は、歩くのも走るのも、ほぼ無意識的な行動だった。例えば、胃が元気なときは、胃の存在は意識されない。胃の具合が悪くなって初めて胃の存在が意識に上る。足の具合いるときはそれほど気にならないのは、病はまだ膏肓(こうこう)には入っていないのだろう。

感動は老いを加速する

ついでに言えば、感動し易くなるのは老いの兆候である。私としては、精神的な若さを保つコツはなるべく感動しないことだと思っている。怒りは老いを少し先延ばしにして、感動は老いを加速する。

私はもともと面倒臭がりで、昆虫蒐集以外のことはほとんどすべて億劫(おっくう)だったのだけれども、この傾向は年とともに益々(ますます)激しくなってきた。朝目覚めても、起き上がるのが面倒臭いし、夜更かしするのも寝るのが面倒臭いからだ。終活などは死んでもやりたくない。だから何かルーティンを決めないと、面倒臭いと言って、一日中、虫の整理以外は何もしないことになりそうだ。前にも書いたが、朝飯は自分で作る。女房とは起きる時間が全く違うので、これは仕方ないのだ。風呂は毎日洗う。家庭菜園の面倒を見る。これらはかなりの運動になる。ルーティンを放棄したら、歩けなくなるのは時間の問題に違いない。

老人と若者がもう一つ決定的に違うのは未来の時間感覚である。世界の最長寿国日本の平均寿命は男81・05歳、女87・09歳（2022年）だから、40歳の人は残り40年から50年、50歳の人は30年から40年は生きられそうだ。長いと思うか短いと思うかは人それぞれだろうが、60歳くらい、あるいは人によっては70歳くらいまでは、客観的には余命が有限だということは理解していても、主観的には余命は無限だという感覚で生きていると思う。私自身も高齢者（65歳）になるまでは、残りの人生はまだ無限という感覚で生きていた。65歳の男性はあと20年、長くても25年くらいしか生きられないのだけれどもね。

同窓会が楽しみになったら人生はそろそろお仕舞

10年前の自分を振り返ってみると、常識的に考えれば生きている間に整理がつかないことは分かっていても、カミキリムシを無闇に採集したり、オークションで落としたりして集めまくっていた。時間はまだ無限に残っていて、死ぬまでに整理がつくと思っていたわけだ。

前にも書いたが、それが後期高齢者（75歳）になるころから、標本を集める意欲が減衰しだしたような気がする。新しい標本を集めるのはほどほどにして、現在手元にある未整理の標本を早く整理しないと、という感情が湧いてきたのだ。体の衰えをつらつら鑑みるに、人生はもう長くないと悟ったのかもしれない。と他人事（ひとごと）のような口ぶりだけれども、まだ簡単に死んでたまるか、という気持ちはありながら、昔のように、人生は無限だとは、主観的にも思えなくなってきたことは確かだ。

残りの人生が有限だと悟った人は、未来のことは考えたくないので、過去にばかり目が行くようになる。何年後かには確実に墓の下なので、考えたくないのは当然だ。そこで、新しい交友関係を築くよりも、昔の友達と連みたがるようになるのだろう。中学や高校の同窓会やクラス会に出たり、親しい人と連絡を取り合って食事会をしたりするのが、無上の楽しみになってくると、人生はそろそろお仕舞だと思った方がいいかもしれない。

親しい人から、大した用事があるわけでもないのに、食事会や飲み会の誘いがあったときは、虫の知らせかもしれないと思って、なるべく断らないほうがいい。最後の晩餐になるかもしれないからね。敬愛するササラダニの分類の世界的権威であられた青木淳一先生は、首下がり病になられて研究ができなくなったとぼやいておられたが、多少回復されたころ、伊藤弥寿彦と新里達也と私を、ご自宅に招待して下さって晩飯をご馳走してくれた。２０１９年の、まだコロナ禍が始まる前のことだ。

私は青木先生の弟子ではないし、それほど親しい間柄というわけではなかった。お互いに著書の贈呈をしあっていたので、人となりはよく存じ上げていたが、ご自宅に招待していただくほど目をかけて下さっていたとは思いもよらなかったので、ちょっとびっくりした。喜んで参上し、さんざんご馳走を頂いてきた。「今日はごちそうさまでした。それではまた」と言って辞去したが、もしかしたらこれが最後かもという考えが脳裏をよぎったのは確かである。実際にそのあとコロナ禍になって、お会いできないまま、青木先生は2022年の秋に亡くなられた。文字通り、最後の晩餐だった。

忙中時々庭仕事

都会人には理解できない「絶好の日」

定年になっても思ったほど暇にならないのは、本の執筆依頼といった仕事をあまり考えもせずに引き受けるからだ、ということはよくわかっている。外出するのは面倒なので、大学の非常勤講師とかカルチャーセンターとかの定期的な仕事は、なるべく引き受けないようにしている。ずっと雨が降った後で、天気が快晴になって、今日は虫が出るぞ、という絶好の日に、出かけなければならない仕事が入っていると、とても損した気がする。

自然とは無縁の生活をしている都会人は、絶好の虫採り日和に、虫採りに行けない無念さは理解できないだろうね。僅かな間しか出現しない珍品のカミキリムシは1週間時期がずれるともう採れなくなってしまうので、絶好の日というのは年に数日しかないのである。虫を採っていると季節の推移に敏感になる。

ほとんどの仕事は自宅でしているので、今日締め切りという仕事以外は、明日に延ばすことができる。勤め人と違ってそういう点では有り難い。「すまじきものは宮仕え」というのは、多くの人にとっては、上司に気を使ったり、心にもない報告書を書かねばならなかったり、もっぱら人間関係や、組織維持のためのブルシット・ジョブ（完璧に無意味で、不必要で、有害でもある有償の雇用形態。人類学者デヴィッド・グレーバーが提唱する概念）が、嫌だということだろうが、私にとっては、時間を拘束されるのが一番嫌なのである。そもそも私はブルシット・ジョブには縁がない。

メルマガ執筆、YouTube撮影、Voicy配信、出版予定の本のゲラ直しや、時々講演やテレビ出演もあるので、後期高齢者の仕事量としては多いほうだと思うが、ネタを探すのに結構勉強するので、ボケの進行は多少抑えられるかもしれない。

キュウリについた虫との戦い

それで、楽しみは家庭菜園だ。庭に出て、自分が育てている野菜が元気なのを見るとうれしい。今年は、もっぱらミニトマトとパプリカを育てている。あと、ピーマンと唐辛子が少し。定年になったばかりの頃は、張り切っていろいろなものを育てていたのだけれども、どうも相性があるようで、一番ダメだったのはナス、次にキヌサヤ、そしてキュウリである。一番手間がかかって面白かったのはヤツガシラである。

ナスは毎年挑戦していたのだが、花は咲くのだけれども実が固くなってしまって、うまくいったためしがない。それで去年からナスの栽培はやめた。キヌサヤは大宮に住んでいる姉に勧められて去年初めて植えてみたけれども、うどん粉病がすごくて、嫌になってしまった。前と後ろの両隣のお宅も、同じころキヌサヤを栽培していたのだが、同じようにうどん粉病で真っ白になっていたので、去年はこの辺りで、うどん粉病の菌（カビ）が蔓延していたのかもしれない。

姉に聞くと、彼女の庭のキヌサヤはうどん粉病になったことがないというので、有病地というのがあるのかしら。私が知る限り、うどん粉病に一番なり易いのは百日紅で、この辺りで見かける百日紅の葉は、たいていうどん粉病に冒されている。人間には無毒なので、うどん粉病に冒された野菜を食べても健康には問題がないが、あまり気持ちがいいものではない。

キュウリは定年になった年に初めて植えて、大収穫だったので気をよくして次の年にも植えたのだが、ウリハムシが大発生して嫌になってしまった。キュウリが成り始めた頃、

２、３匹、葉についていたのを発見したのだが、あまり真面目に駆除しなかったのだ。このくらいの数だったら大した被害にはならないだろうと仏心が出て、見過ごしていたのが仇となった。気が付いた時には１００匹ほどの大集団になって、キュウリの葉が穴だらけになってしまった。

　葉に止まっている大集団は、キュウリの支柱をトントンと軽く叩くと一斉に飛び立つ。それを、大きな捕虫網で掬うのだが半分くらいしか採れない。手で摑むと黄色い汁を出すが、手が黄色になるのを気にしないでどんどん潰す。毎日捕虫網を振って半分くらいは駆除するのだが、もはや手遅れで、次の日には元の木阿弥になってしまう。

　それでキュウリの栽培もやめた。実はキュウリにはソラレンという物質が含まれていて、この物質は紫外線の吸収を高めてシミを作るので、朝や昼にキュウリは食べないほうがいい、という話を女房がどこかで聞いてきて、キュウリは夜しか食べないと言い出したので、それもキュウリを作らなくなった一因である。キュウリはぬか床に漬けて、朝食うのが一番うまいので、それがダメということなら、キュウリを作る元気が出ない。もっとも、最近少し真面目に調べてみたら、多少食ってもシミができるほどの量は摂れないようだ。それでは、来年作ってみるかと言うと、どうも乗り気がしない。ミニトマトは20個ほどできてもすぐに食べてしまうけれど、キュウリが20本も同時にできると、始末に困る。

ヤツガシラの芋がらの使い道

ヤツガシラ（八頭）は私が子供の時の正月料理の定番で、お餅（もち）とヤツガシラと青菜のお吸い物を、仏壇やお稲荷さん（庭の隅にお稲荷さんを祀（まつ）ってあったのだ）にお供えしていたのをよく覚えている。サトイモと同じ種の品種だけれど、大きな親芋の周りにぼこぼこと頭のような子芋がついているのが名前の由来のようだ。鳥にもヤツガシラという名の種がいて、頭に10個くらいの冠羽があり、日本では稀な冬鳥である。私はまだ見たことがない。

それで、野菜のヤツガシラである。ホームセンターで種芋を見つけて買ってきて、庭に植えておいたのだ。どんどん大きくなって葉っぱが茂ってきた。ヤツガシラの茎は乾燥させて芋がらとして保存しておくと、いろいろな料理に使えて便利だと聞いていたので、10月ごろ芋を掘る前に茎を切って、芋がらを作った。茎を根元で切ってまず茎の薄皮を剝（は）ぐ。爪で引っ掛けて薄皮を剝ぐのは結構楽しい作業だ。たいした力もかけずにヒュー、ヒューと皮が剝（む）けていくのはなかなかの快感だ。指がアクで真っ黒になるけどね。これを干せば、保存食となる。

私は自分で作った芋がらを、毎日少しずつ味噌汁に入れて食べていた。1年くらい持つかなと思っていたけど、半年で無くなってしまった。茎を全部切った後、期待を込めて掘り起こした芋は全くダメで、サトイモほどの大きさしかなかった。

ヤツガシラの芋がらは別名ずいきと言う。子供の頃、近所の薬局に「肥後(ひご)ずいき　あります」という看板が出ていて、ガキ大将の悪ガキが、ニヤニヤしていたので、何か怪しい雰囲気がしたのだけれども、大人になるまで、「肥後ずいき」の何たるかは知らなかった。ハスイモというヤツガシラの近縁種の芋がらのことで、同じようにして作り、保存食となる。但し、有名なのは保存食の方ではなく「性具」としての用途の方だ。

肥後細川(ほそかわ)藩が徳川将軍家への献上品として、参勤交代の際に持参したと言われる。大奥などで張型のようにして使用されたり、陰茎に巻いて使ったりしたようだ。芋がらに含まれるサポニンという成分が、催淫(さいいん)作用を持つという。ヤツガシラのずいきにもサポニンは微量含まれるので、同じように使えるかもしれないが、試したことはない。

聞く耳を持たない野生動物

自宅の東側と西側は山なので、野生動物が出没して、時に栽培している作物が食べられてしまうことがある。一番よく食べられるのは、ブルーベリーで、これは私たちが食べる量より、ヒヨドリが食べる量のほうが多そうだ。以前は、透明なビニールを張ったりして防御に努めていたのだが、面倒くさくなって、去年からはほったらかしである。花を食べるやつがいて、実になってから食べたほうが賢いよ、と説教しているのだけれども、聞き耳は持たないようだ。

大玉のトマトを栽培したとき、明日収穫しようと思って、次の日の朝見ると何者かに食べられた後だったことがある。食い散らかした残りが落ちていたので、人間ではなさそうだ。ハクビシンかタヌキかニホンアナグマか。せめて食ったお礼に顔を見せろや、と言いたいけれども、野生動物は、我が家の庭の農作物の所有権が池田家にあることを理解していないので、しょうがないか。

一番面白かったのは、一昨年(おととし)、エダマメを栽培していて、収穫寸前に猿に全部食べられてしまったことだ。エダマメは一つの鞘(さや)に三つくらい豆が入っていて、遠くから見てもぷっくり膨れているので、そろそろ収穫時期だと分かる。それで、収穫したエダマメを見たら、中身が空だったのである。何者かが器用に豆だけ取っていったらしい。一体誰の仕業だろうと思っていたら、隣の奥さんが、さっき猿がエダマメを食べてましたよ、と教えてくれたので、犯人が分かったのだ。猿知恵を侮ってはいけません。きっとハナレ猿（群れから離れ、単独行動をしている猿）だったのだろう。私はお目に掛かれなかったけれどもね。

今栽培しているミニトマトやパプリカは、全く農薬をかけないのにほとんど害虫が付かないし、なぜか動物にも食べられない。野生の動物が忌避する成分でも入っているんじゃないだろうかと、時に心配になるが、毒が蓄積する前にこちらの寿命が尽きるに違いないと思って、あまり気にせずに食べている。

葬儀について

葬儀はなぜ、いつ始まったのか

以前、安倍晋三元首相やエリザベス2世の葬儀がいろいろ取り沙汰されたが、人はそもそもなぜ葬儀をするようになったのだろうか。イラクのシャニダール洞窟で1957年から1961年にかけて、コロンビア大学のラルフ・ソレッキらによって9体のネアンデルタール人の人骨が発掘された。これらの人骨は3万5000年前から6万5000年前にかけてのものだ。

そのうち「シャニダール4号」と呼ばれる人骨の周囲の土壌から花粉が見つかったことで、この洞窟のネアンデルタール人は死者に花を手向けて埋葬したと考えられた。尤も、これには異論があって、花粉は動物によって墓穴に運び込まれたという説だ。この墓穴はスナネズミの巣穴として使われており、スナネズミは種子や花を巣穴に保存する習性があり、その結果、大量の花粉が見つかったというわけだ。この洞窟の他の人骨の周囲には花粉が見られないことから、もしかしたらこの説の方が信憑性は高いかもしれない。

ただ「シャニダール2号」と呼ばれる人骨の埋葬地点には小さな石積と大きな焚火の跡があり、花を手向けなくとも葬儀を行った可能性はある。また「シャニダール1号」は高齢（40歳から50歳）の男性で、左眼窩に古い粉砕骨折の痕があり、右腕が途中から切断されており、さらには下肢や足は変形していた。それにもかかわらず、ここまで生き延びたのは、同胞に支えられていたからに違いなく、ネアンデルタール人が身内の窮地を助ける心を持っていたことは明らかである。そうであるならば、同胞の死を悼んで何らかの葬儀を行ったと考えた方が合理的だ。

花で飾られた墓のはっきりした最古の証拠は、約1万2000年前のイスラエル・カルメル山の洞窟から見つかった。遺体と共にミントやセージといった香り高い草花の痕跡が見つかったのである。これはクロマニヨン人（現生人類）のお墓で、お墓を作ったナトゥーフ人は最も早くから定住生活を始めた人々であるという。埋葬場所を記憶していることと定住は関係しており、放浪生活を行っていた頃は、葬儀はしても埋葬した地点は暫くすれば忘れてしまい、もちろん墓参りなどはしなかったろう。墓とは遺族や共同体に記憶されている埋葬地点のことだからだ。

なお、マサイ族はアフリカにすむ部族であるが、定住はしているけれども墓はない。死者が出ると棺桶に入れてサバンナの適当なところに埋めて、お別れのセレモニー（葬儀）をするが、墓標は立てないので、そのうち墓の場所は分からなくなってしまう。もちろん墓参りはしない。

ネアンデルタール人もクロマニヨン人（ホモ・サピエンス）も恐らく死者を悼むという感情は、事の最初から持っていたのだと思う。死者をごみのように捨てないで、何らかの葬儀を行って、丁寧に安置したり埋葬したりすることはごく普通に行われていたであろう。但しそれは親や子やごく親しい友人に対してのみで、ほとんど交流がない他人の死に関心を寄せることはなかったろう。

三種類の死

第二次世界大戦中、レジスタンス運動に参加して、親ナチ政権に抵抗したフランスの哲学者、ウラジミール・ジャンケレヴィッチは、死を三つのカテゴリーに分けた。第一人称の死、第二人称の死、第三人称の死、である。

第一人称の死は自分の死であり、自身が経験することができない死である。従ってこれは、自分にとっては無と同じである。第二人称の死は、連れ合い、親子、兄弟、恋人といた人生と生活を分かち合った人の死である。第三人称の死はそれ以外の人の死である。見ず知らずの人が死んでも、多くの人は悲しくもなければ心を動かされることもない。

第二人称の死は第三人称の死と全く異なる。幼いわが子を失った親の悲しみ、逆に幼いころ愛する親と死に分かれた子の悲しみは、場合によっては筆舌に尽くし難く、深い喪失感に苛（さいな）まれ、しばしば鬱（うつ）状態を帰結する。第二人称の死を悼んで、鎮魂のために葬儀を行うのは、悲しみを覚えた人類に共通する行動であろう。鎮魂とは通常慰霊の意味であるが、実は死者の魂を慰めるというよりは、生き残って葬儀をしている人の魂を慰めるという方が事実に近い。第二人称の死がどんなに重大かは、他の社会的な仕事をすべて休んで、死者を悼むのが常識だと多くの人が考えていることからも分かる。

１８５８年の６月、マレー諸島で生物の標本蒐集に従事していたアルフレッド・ラッセル・ウォレスから一通の手紙を受け取ったチャールズ・ダーウィンは驚愕（きょうがく）する。手紙の内容は自然選択説に関する論文で、ダーウィンが長年温めていた正にそのアイデアが書かれていたのである。

狼狽(ろうばい)したダーウィンは信頼する友達のフッカーとライエルに事情を知らせたところ、この二人はダーウィンとウォレスの両者の顔を立てて、少なくとも自然選択説に関するダーウィンのアイデアはウォレスの二番煎(せん)じではないことを証拠として残すために、1858年7月1日に開かれるロンドン・リンネ協会の会合で、両者の論文を同時に発表するように取り図る。この日、フッカーとライエルは会合に出席したが、マレー諸島に滞在していたウォレスはもちろん出席せず、実はダーウィンも欠席したのである。

ダーウィンの10番目の子であるチャールズ・ウェアリングが猩紅熱(しょうこうねつ)のために2歳で亡くなり、この日はウェアリングの埋葬の日だったのである。ダーウィンとウォレスの自然選択説の同時発表という進化論史に残る出来事よりも、自分の愛息の埋葬の方が、ダーウィンにとっては大事だったのだ。

葬儀の意味の変容

葬儀が第二人称の人の死を悼むところから始まったのは確かで、現在でも故人の近親者にとって、葬儀の最大の意味はそこにあることは間違いない。近年、家族葬といって、近親者だけで葬儀を営むことが流行しているのも、葬儀費用を節約したいという理由ばかりでなく、部外者に鎮魂の邪魔をしてもらいたくないという面も大きいと思う。

しかし、故人が属していた共同体の中で、故人と何らかのかかわりを持つ人が増えるにつれて、葬儀には第二人称の死を悼む人ばかりでなく、それ以外の人の参列が増えてくる。そうなるにつれ、葬儀は真の意味での鎮魂から逸脱し、別の意味合いを帯びてくる。

例えば、共同体の中で重要な地位を占めていた人が亡くなった場合と、その人の連れ合いや親や子供がなくなった場合では、葬儀に参列する人の意識は全く異なるだろう。後者の場合、参列する多くの人にとって重要なのは、亡くなった人を悼むことではなく、多くは喪主である社会的地位の高い人に弔意を表することだ。そのことによって、少なくとも今までと同様に良好な付き合いをお願いしたいという意思を表明するわけだ。

前者の場合は、文脈によって状況は全く異なってくる。例えば、大きな会社の社長が亡くなったとして、後継者と目される人は会社の結束を固めるために、葬儀を利用しようとするだろうし、後継者争いをしている人が複数いる場合は、葬儀を利用して自分の支持者を増やそうとするかもしれない。いずれにせよ、この場合は、葬儀は政治的な意味合いを帯びてくるのだ。

翻って、社長ほどには集団内の地位が高くない人、例えば部長や課長が亡くなった場合、遺族に弔意を示しても自分の商売や出世には関係がないため、無理に葬儀に参列しないという人も出てくるだろう。ある程度の地位の人の場合、本人の葬儀より、親や連れ合いの葬儀の方が盛大なことが多いのはそのためである。

社長や校長（学長、理事長）が亡くなると、社葬とか学校葬とかが行われることが多いが、これは会社や学校の構成員や関係者の忠誠心を喚起したり、社会に向けて組織の力を誇示したりするのが目的で、故人の追悼は名目に過ぎなくなるのが普通だ。従って、業績が傾けば潰れる恐れがある会社や私学では、社葬や学校葬が行われることがあるが、公費で運営されていて儲（もう）ける必要がない公立学校では、学校葬が行われることは滅多にない。

私が中学に在学していた時、現職校長が亡くなって、全校生徒が中学から歩いていける校長の自宅まで行って葬儀に参列したことがあった。今考えても、誰がそんなことを決めたのかよく分からない。教育委員会のお達しだったのか、職員会議で決めたのか。私を含めた生徒たちは、遠足気分で参加したので、むしろ楽しかったのを覚えている。さしたる権力を持っていない校長が亡くなったからといって、全校生徒たちを葬儀に無理やり参加させたのはいったいどんな意図があったのだろう。不思議だ。

国家は、この世における排他的な最終権力形態であるため、国家の元首や権力者が亡くなれば、国威発揚のために、ある程度盛大な葬儀が行われるのが普通だ。独裁国家の場合は、立派な墓が建てられ、国民は弔意を示すことを強制されるだろう。

民主国家の場合は、主権は国民にあるので、弔意を強制されるいわれはない。弔意を示すのも示さないのも国民の自由である。法的に国葬の規定がないのに、勝手に国葬にして、税金を使うのは決定的に間違っていると思う。これではほとんど独裁国家と選ぶところがない。葬儀は私的にやるべきだ。

権力者の葬儀に、国民がどれだけ弔意を示すかは権力者だった人の人気を測るバロメーターであり、外国からどんな会葬者が来るかは、国力を測るバロメーターである。岸田文雄首相は、安倍元首相の国葬を、法律を無視していち早く無理やり決めたが、国民の反対があれだけ多くなるとは思わなかったのだろうね。さらには、国葬にしたにもかかわらず、外国の要人がほとんど参加しないという屈辱的な結果になったのも、想定外だったのだろう。

別言すれば、統一教会との癒着の問題もあって、安倍元首相の人気が地に堕ちていることも、外国の要人に国葬に参加する必要はないと思わせるほど、日本の国力が落ちていることも、きちんと理解していなかったということだ。

さて、日本国民は、そんな政権をいつまで支持するつもりなのか。

II

〃生物目線〃で生きる

コロナ禍の沖縄に行く

イチムシを探して

２０２２年の４月の終わりに１週間ばかり沖縄に行ってきた。

当時沖縄は新型コロナの人口当たりの感染者数が日本一で、あまり気が進まなかったのだけれども、大分前から約束していた「沖縄イチムシ会」の講演の日程が４月23日にフィックスされていたので、キャンセルするのも気の毒だと思ったのと、その後、山原(やんばる)に行ってオキナワホソコバネカミキリのメスが採れればいいなあ、というスケベ心を起こして、コロナ感染を心配するカミさんを尻目(しりめ)に、機上の人となったのである。

沖縄はオミクロン株が大流行していたので、多少はピリピリしているのかと思っていたが、沖縄の人たちはいたって呑気(のんき)で、一応ほとんどの人はマスクこそしているけれども、あまり感染を心配しているようには見えなかった。友人の一人は、二人の孫がともに感染したけれど、別に大したことはなかったと笑っていた。感染者は大勢いるが、若い人の死者はほぼ皆無なので、あまり気にしていないのだろう。3回目のワクチンを打て打てと政府は躍起だけれども、私と同じように、政府の言うことを信用していない人も沖縄には多いようだ。

「沖縄イチムシ会」は私の大学の2年後輩の座間味眞君が会長をしている団体で、主として沖縄に固有のクワガタムシやカブトムシや淡水魚を増殖して、種の保存に努めるとともに、希望者に幼虫や稚魚を配布するボランティア活動を行っている。「イチムシ」とは沖縄のコトバで「生き物」を指すようだが、座間味君は「虫けら」のことだと言っていた。

虫が好きな人には二つのタイプがあって、一つは採って集めて標本にするのが好きな人、もう一つは飼うのが好きな人だ。私は完全に前者で、飼育はどうも好きになれない。子供の頃はイヌを飼っていたこともあったが、イヌやネコは早々と死んでしまうので、情が移ると可哀そうで、飼う気になれない。昆虫や熱帯魚も飼うのが下手なので、うまく育たないか、すぐ死んでしまう。昆虫を飼うのは、もっぱら綺麗(きれい)な成虫の標本を手に入れたいためで、飼育を楽しむというパトスはない。

飼育が好きな人は、幼虫の仕草が可愛い、ブリードしてどんどん増やすのが楽しい、飼育技術を向上させてギネス級のクワガタムシやカブトムシを羽化させたい、といったいろいろな理由を挙げるけれど、結局は生きている昆虫や魚が好きなのだと思う。こういう人は、小動物が居心地よく過ごしているかとか、病気になりかけているかとか、に敏感なのだ。

希少野生動植物飼育のジレンマ

座間味君の以前の商売はクルマエビの養殖である。沖縄に暫く住んでいた頃、海辺にある養殖場に遊びに行くと、時々、養殖池に素潜りで潜っていた。クルマエビの健康状態を自分の目で確かめているのだという。元気のないクルマエビはつまみ出して、病気の蔓延を未然に防いでいるのだ。クルマエビに限らず、魚介類の養殖はどうしても過密になる。過密になると、一匹でも感染症に罹れば、あっという間に養殖場全体に拡がって、甚大な被害が出る。これを防ぐために、餌の中に抗生物質を混入させる養殖業者も多い。

座間味君は、抗生物質は使っていなかったようだ。そのために、毎日2回養殖池に潜って、クルマエビの健康チェックを怠らなかったという。座間味君のクルマエビ養殖が好調だということを聞いて、クルマエビ養殖に手を出した近所の人は、暫くしてクルマエビが全滅したという。生き物に対する配慮が足りなかったのだろう。

クルマエビの養殖をやめてからは、クワガタやカブト、メダカ、トウギョなどの養殖を趣味で行っており、近所の小学生に無償で配っていたのだが、これを大々的にやろうと思いついて、「沖縄イチムシ会」を立ち上げたとのことだ。飼育技術が優れているので、どんどん増えて、誰かに配らないと始末に困るという事情もあったのだろう。

子供たちが喜ぶのは沖縄島特産のオキナワカブトやオキナワノコギリクワガタ、オキナワヒラタクワガタなどだという。カブトやクワガタは、どこでも子供たちには人気の虫だ。特筆すべきはオキナワマルバネクワガタの累代飼育だ。オキナワマルバネクワガタは、「種の保存法」で国内希少野生動植物種に指定されていて、採集・飼育も禁止ならば、生き虫や標本の譲渡も禁止である。しかし、座間味君は指定前から累代飼育をしているので、自分自身での累代飼育に関しては、例外的に認められているのである。

飼育がうまいので、毎年100頭を超えるオキナワマルバネクワガタが孵(かえ)るようだ。しかし、たとえ無償でも誰にも譲渡ができないので、困っているのである。去年の8月と9月に産卵セットしたオキナワマルバネクワガタの幼虫を最近掘り出したら、208頭の幼虫が出てきたという。これを1頭ずつ飼育すると、今年の秋にはほとんど成虫になる。彼が言うには、譲渡できないので150頭くらいに留(とど)めておこうと思ったが、案に反して2

００頭以上出てきたとのこと。繁殖をやらないと腕が鈍るので続けるつもりだが、今後は数より大型化に重点を移すつもりだと言っていた。

自然に対して役人の理屈は通らない

どう考えても「種の保存法」は欠陥法である。

そもそもこの法律は、希少な野生動植物種を絶滅から守るためのものだ。座間味君のように累代で繁殖させてくれる愛好家が増えれば、たとえ、野外で絶滅しても、誰かが飼育していれば、種としての絶滅は免れる。もし座間味君に事故があって、彼が累代で飼育している系統が途切れたら、この種の絶滅確率は増大するに違いない。多くの人に譲渡していれば、絶滅確率は減少する。譲渡を禁止しないと、野外から採集したものを売って儲(もう)ける人が出て、密猟を防げないという理由だろうが、それは密猟を取り締まればいいわけで、累代で飼育をしている人からの譲渡を禁止する理由にはならない。飼育品の譲渡禁止は種の保存に関する限り、メリットよりデメリットの方が大きい。

座間味君はヤンバルテナガコガネの飼育に関しても飼育の嘆願書を環境省に送ったようだが、無視されたと言っていた。最近、野外絶滅したオガサワラシジミを累代飼育していた多摩動物公園と新宿御苑で、飼育個体が全滅して、この種は地球上から消えてしまった。

　環境省の飼育担当者も絶滅させまいと一生懸命だったのだろうけれど、役所だけでやろうとせずに、飼育の上手(うま)い何人もの愛好家に譲渡しておけば、こういうことにはならなかったと思うと真(まこと)に残念だ。お役所仕事というコトバがあるが、自然は役人の頭の中の理屈通りには動かないのは当たり前だ。

　それで講演会の題は「子育てと虫」というもので、何を話したかは忘れてしまったが、１３０人くらいの聴衆がいらっしゃって、質問も活発で、楽しかった。しかし、私の早口の江戸弁を理解してくださった方が果たして何人いたかと思うと多少心もとない。私は、巻き舌で早口で半分笑いながら話すので、東京の下町出身の人でないと完全に理解するのは難しいのではないかと思う。座間味君も私の話の半分は分からないようだ。尤(もっと)も私だって座間味君の早口の沖縄弁は半分も理解できない。電話では話が正確に伝わったかどうか心配なので、後で、メールでやり取りをしている。最初からメールだけでやり取りをした方が手っ取り早い。

　台湾六亀(ろっき)の昆虫採集の名人・陳文龍さん（故人）に、かつて何回か採集地を案内してもらって、一緒に虫を採ったことがある。陳さんは日本語が堪能(たんのう)で意思疎通が上手くはかれて、私にとってはこの上もなく上等なパートナーだったが、10年くらい付き合ったある日「池田先生の日本語は半分くらい分かりません」と言われて愕然となった覚えがある。まあそんなようなものだ。

死ぬまでには一頭でも採りたいカミキリ

それで肝腎のオキナワホソコバネカミキリはどうなったかというと、24日から28日まで連日、採れた実績がある場所に行って、飛んでくるのを待っていたのだが、これが一向に飛んでこない。このカミキリの生態はまだわかっておらず、尾根筋で飛んでくるのを待っているというのが唯一の採集法なのだ。２０１３年に玉城康高君が採集した標本をホロタイプにして、２０１４年に私と沖縄在住の松村雅史君の２人で新種として記載したもので（*Necydalis tamakii*）、私はまだメスを持っていないのである。

Necydalis 属は愛好者に大変人気のある、蜂に擬態したカミキリムシのグループで、日本には12種（亜種）、あるいは13種（亜種）が産する（研究者によって種や亜種の分け方が異なるので、そういう話になる。科学的に正しい分類方法は存在しない）。私はオキナワホソコバネカミキリ以外の日本産 *Necydalis* 属全種（全亜種）のオス・メスの標本を持っている

が、この種のメスの標本だけ持っていないので、是非採りたいのだ。

若い時ならば、今年は採れなくとも、またいずれチャンスはあると思えるのだが、足腰がだんだん弱って、視力も衰え、虫を発見することも、追いかけることもままならなくなってきて、今年が最後のチャンスと思ってやって来たのだ。

5日間通って、1頭目撃しただけで、オスもメスもついに網の中に入れることは叶(かな)わなかった。同行の他の4名も全く採れなかったのだから、まあ仕方がないか。人生には、諦(あきら)めなければならないこともあるけれど、死ぬまでには一頭でもいいからメスを採りたいよね。採れたら死んでしまうということですから、採れなくてよかったじゃないですか、と女房は慰めてくれるけれど、今後も頑張れるだろうか。

哺乳類の種の寿命に関わりなくがんの発症確率がほぼ同じなのはなぜか

世界一の長寿者は4度の手術を乗り越えた

２０１８年7月22日にそれまで世界一の長寿者であった都千代さんが死去されたのに伴い、新たに世界一の長寿となった田中力子さんが、２０２２年4月19日に亡くなられた。存命期間は１１９歳１０７日。１２２歳１６４日のジャンヌ・カルマンさんに次いで、世界第2位の長寿記録である。35歳の時にパラチフスを患い、45歳で膵臓がん、76歳で胆石、90歳で白内障、１０３歳で大腸がんと4度の手術を乗り越え、１１９歳まで生きたのだから、その生命力は大したものだ。

膵臓がんと大腸がんを克服しての１１９歳の長寿は常識では考えられないすごさだと思う。１０３歳の時の大腸がんの手術を執刀した順天堂大学医学部の鎌野俊紀教授（当時）は、腸閉塞が進行しており癒着が強く、年齢的にも全身麻酔の加減が難しく、手術は困難を極めたが、何とか成功して、転移もなかったと述べている。１００歳以上のがんの手術例はその当時日本では10人くらいしかおらず、よく手術に踏みきったと思う。普通の人であれば、体力的にも、手術死する可能性の方が高いと思う。

膵臓がんの手術をしたのは45歳、１９４８年のことだ。私が生まれた1年後で、当時の医療水準で、手術をして治るような膵臓がんがよく見つかったと思う。なんか不思議な気がするね。最終的な死因は老衰ということであるが、もしかしたらどこかにがんがあったのかもしれない。歳をとれば遺伝子に異常が蓄積して、がんが発生したり細胞が多少異常になったりする。

がんについて言えば、いくつかのがん関連遺伝子が突然変異を起こして、細胞ががん化するわけだが、例えば、七つのがん関連遺伝子があるとして、生まれた時にすべて正常な人は、すべてが異常になるまでには時間がかかる。しかし十分長生きすればいずれすべて異常になるだろう。

そういうことを考えれば、がんの発症確率は歳とともに増加することになる。実際、日本における年齢別の10万人当たりのがんの発症数は50歳辺りから急激に上がるので、基本的には老化と共に発がん確率が上がることは確かだと思う。但し、必ずしもすべてのがんで、年齢と共に発がん確率が上がるわけではない。

例えば、女性の乳がんや子宮がんは65歳辺りをピークに発がん確率は下がってくる。これは恐らく、生まれつき発がんし易い遺伝的組み合わせの人がいて、それほど高齢にならないうちに、当該のがんのがん関連遺伝子がすべて異常になってがんが発症するのだろう。その極端な例は家族性のがん（familial cancer）で、生まれつきがん関連遺伝子のいくつかに異常があり、比較的若いうちにがんを発症する。ＢＲＣＡというがん抑制遺伝子が生まれつき壊れている家族性の乳がんと、ＡＰＣというがん抑制遺伝子に生まれつき異常がある家族性大腸がんがよく知られている。

一方、がん関連遺伝子がほぼ正常な人は、高齢になってもがんが発症しづらいため、ある年齢までがんにならなかった人の発がん確率はそれ以外の人に比べて低くなり、結果的に乳がんや子宮がんの発症確率は65歳以上では下がってくるのだろう。

がんになり易い生物、なりにくい生物

遺伝子の突然変異は偶然起こるというのが、現代遺伝学のパラダイムである。がんは細胞の中の遺伝子の突然変異によって起こり、突然変異が偶然起こるならば、ある組織に発

生したがんはもともと１個の細胞ががん化して、この細胞が増殖したものだ。隣り合った複数の細胞ががん化してここから始まったわけではない。突然変異が偶然であるならば、複数の独立の細胞が同時に同じ突然変異を起こすとは考えづらいからだ。

ところで、がんが個々の細胞に独立に起こるならば、１個体の細胞数が多い動物はがんの発症確率が増えると予想される、例えばゾウは、ヒトの１００倍の体重があり、細胞数も大凡（おおよそ）１０００倍の３０００兆個あると言われている。しかし、ゾウはヒトよりもはるかにがんに罹り難（にく）い。ｐ53というがん抑制遺伝子はがんになりそうな細胞を見つけ出して、アポトーシスで殺して、がんの発生を未然に防いでいるが、ヒトでは二つしかないｐ53のコピーがゾウでは38個もあるという。クジラもゾウより大きいがゾウとは別のがんを抑制するメカニズムがあって、がんになり難いと言われている。

マウスはずっと小さく、体細胞の数が３００億個と言われており、がんの発症確率は低くてよさそうだが、特別にがんの発症確率が低いということはなさそうである。ネコやイヌの体細胞数もヒトよりもずっと少ないが、がんの発症確率はヒトとあまり変わらない。これは個々の細胞の遺伝子が突然変異を起こしてがん化する確率は種によって大きく異なっていることを意味している。

哺乳(ほにゅう)動物の中にはクジラやゾウやヒトのように長寿のものもいる反面、ラットのように極めて短命で3年くらいしか生きられないものもいる。イヌやネコは大凡20年、ウマは30年である。遺伝子の突然変異がランダムに起こるならば、突然変異の数は、生物の寿命と正の相関を持つはずである。突然変異の結果、がんが起こるならば、寿命が長い動物ほど、がんが起こり易いはずである。しかしこれは、事実に反する。何か突然変異を制御するメカニズムがあるはずだ。

以前、「Nature」（２０２２年4月21日付）に「哺乳類では体細胞変異率は寿命に応じて変化する」と題する大変興味深い論文が載っていたので、その内容を紹介して、それが意味することについて私見を述べたいと思う。Wellcome Sanger 研究所の Alex Cagan らは、16種の哺乳類について、腸の上皮組織に存在する Intestinal crypt という腺(せん)組織の体細胞の全塩基配列を解読し、それが年齢と共にどのように変化するかを調べた。

16種の哺乳類はハダカデバネズミ、ラビット、ラット、マウス、ネズミイルカ、アビシニアコロブス、キリン、ウシ、イヌ、ウマ、ネコ、ワオキツネザル、ヒト、トラ、ライオン、フェレットである。体細胞変異率は種によって異なり、寿命の短い種では早く変異し、寿命の長い種ではゆっくりと変異した。これらの種の間では、寿命には30倍の、体重には

４万倍の変動があったが、寿命の終わりの体細胞変異量は３倍以内に収まっていた。

例えば、ラットは寿命３・４年、イヌ17年、ウマ32年、ヒト82年として、寿命が尽きる時の体細胞の突然変異量はほぼ同じだという。体細胞に起こる突然変異は基本的に内因性と考えられるので、恐らく種ごとに変異速度をコントロールする機構が備わっているのだろう。種ごとのがんの発症確率が寿命や細胞数の違いにかかわらず、どの種でもそれほど違わないことは、一生の間に生じる突然変異量がほぼ同じことから説明できる。

生物の種の寿命は何が決めるのか

生物の種の寿命を決めているのは何かという問いについては様々な仮説がある。最も有名なのはテロメア仮説で、染色体の末端にあるテロメアが、細胞分裂の時に少しずつ短くなって、テロメアがなくなった時点で、寿命が尽きるという説だ。それで、よく知られているように、ヒトでは50回分裂すると寿命が尽きるという。ただテロメアは、分裂ごとに同じ長さで切れるのではなく、テロメアを修復する酵素であるテロメラーゼが働けば、短くならない。

例えば、メダカでは成長過程にある若い個体では、テロメラーゼが働いて、細胞が分裂してもテロメアの長さは保たれているが、ある月齢以降になると、テロメラーゼの活性が低下して、テロメアがどんどん短くなり、老化して死に至るという。老化は、細胞分裂に伴って、不可避的にテロメアが短くなるといった物理的な出来事が原因ではなく、テロメラーゼの活性制御という遺伝子発現の問題だということになる。別言すれば、メダカはテロメラーゼの発現制御によって寿命を遺伝的に決定しているわけだ。

ここで紹介した「Nature」論文が正しいとして、種ごとに寿命が尽きるまでの突然変異の速度がほぼ一定に決まっており、それが内因性の変異であるとすると、これをコントロールしているメカニズムが、種の寿命を決めているとも考えられる。すなわち、寿命は環境からのバイアスにより遺伝子が損傷した結果生じる現象ではなく、むしろ哺乳動物自身が、積極的に決定している現象ということになる。

そうであれば、このメカニズムを解明して、一生の間に生じる突然変異率を減少させることができれば、寿命を延ばすことが可能になる。老化に伴う個別の病気を治すのではなく、寿命そのものを延ばして老化を抑制するという夢のようなことが可能になるかもしれない。

「虫」を使った常套句について

6月4日の虫供養

去る6月4日の「虫の日」にちなんで、鎌倉の建長寺で「虫供養」があった。6月4日を語呂合わせで「虫の日」に制定したのは、手塚治虫らの呼びかけで1988年に設立された「日本昆虫クラブ」によるものが嚆矢だと言われているが、詳しいことは知らない。そもそも私は「日本昆虫クラブ」なるものがどんな組織かよく知らない。これとは別に6月4日を「虫の日」に制定した個人や団体もあり、有名なのは養老孟司が2018年に制定して「一般社団法人・日本記念日協会」に申請して、同協会から認定されたものだ。

養老さんは鎌倉の建長寺に隈研吾設計の虫塚を2015年に建立して、2016年から毎年この日に養老さんの知人（虫友達ばかりでなく虫とはあまり縁のない友人も含まれている）を招待して「虫供養」を行っている。まず、トークショーを行い、そのあと、虫塚に行って虫供養をして、最後に飲み会でお開きという流れである。養老さんのトークショーの相手は、2016年は文化人類学者の植島啓司、2017年は高精密昆虫写真の技術を開発して、昆虫の精密写真を発表している小檜山賢二、2018年は私、2019年は昆虫デザイナーの佐藤卓、2022年はイラストレーターの南伸坊、そして今年は僧侶で作家でもある玄侑宗久であった（2020年と21年はコロナ禍のため中止）。

2023年は、コロナ明けということもあってか、一般の人も含めて300人近くの人が見えて、盛会だった。大半は、養老さんのファンの人で、昆虫にはあまり興味がない人も多かったようだ。虫好きで有名な荻野目洋子も見えていて、虫供養の後、新潮社が、荻野目さんと養老さんと私のスリーショットの写真を週刊新潮に載せたいというので、虫塚の周りを歩かされた（この写真は『週刊新潮』2023年6月15日号に掲載されている）。

虫なのか、私なのか

ところで、玄侑さんはお話の中で、虫にちなんだ常套句に言及された。確かに日本には虫というコトバを使った常套句が多いと、改めて思った。以下、これについて考えたことを述べてみたい（玄侑さんのお話とは直接の関連はない）。

まず、「虫が好かない」というコトバから話したい。こういったタイプの虫にちなむ常套句は外国語にはない（と思う。少なくとも英語にはない）。「あいつは何となく虫が好かないんだよな」といった表現は今ではあまり使わなくなってしまったかもしれないが、私が小さい頃の大人はよく使っていたような気がする。

よく考えてみるまでもなく、あいつを好きでないのは私であって、虫ではないのに、なんでこんな表現をするのだろう。「あいつは嫌いだ」という直接的な表現を避けて、「嫌い」を虫に託して婉曲に表現したと考えられないでもない。「嫌い」というのは、ネガティブなコトバなので、私の体の中に棲んでいる「虫」が好かないので、私自身はそれほど嫌いでないという言い訳を言外に表現しているのかもしれない。したがって「好き」というポジティブなコトバに関しては、「虫が好く」という表現は聞かない。

しかし、婉曲に表現したわけではなくて、本当に嫌いなんだというときも「虫が好かない」という表現を使うわけで、この場合「虫」とは、私とは別の「私」なのであろう。西洋的な考えでは自我は一つで、私は私だが、日本人は必ずしも自我は一つではなく、意識上の私以外にも、意識下の私、あるいはさらに深層の私、といった具合に私には分身がいて、そういった潜在的な私の分身を「虫」と表現したのかもしれない。

これと似たような表現に「腹の虫がおさまらない」というのがある。私自身は、何とか我慢できるのだが、お腹に棲んでいる「虫」が怒っているので、収まりがつかないということだ。「虫の居どころが悪い」という表現も、対外的には、私は機嫌がいいように取り繕ってはいるが、「虫」の機嫌が悪いので、なんとなく元気が出ないということだ。こうなると、私よりも「虫」の方が、本当の私なのではないかと思わないでもない。

「浮気の虫が目覚めた」なんて表現もある。あなたが浮気したいだけで、虫のせいにしているんじゃねえよ、と思うけれども、理性ではどうにも止まらない欲望を「虫」と表現して、多少とも後ろめたさを軽減しているのかもしれない。「塞(ふさ)ぎの虫にとりつかれた」人は、現代風に言えば鬱病(うつびょう)だけれども、「虫」のせいじゃしょうがないよと言って、原因を虫に転嫁しているのだろう。

〝体の中〟の虫

昔は、寄生虫が体の中に棲んでいて悪さをするのは普通のことだったので、そういったタイプの虫にちなんだ常套句もある。

一番有名なのは「獅子(しし)身中の虫」だ。組織に忠誠を尽くすようなそぶりをしているが、いざとなったときに反旗を翻して、組織を破滅に陥れる反乱分子のことだ。人類の政治史を鑑みても、外敵によって滅ばされるのと同じくらいの頻度で、国家権力は、獅子身中の虫によって滅ばされたと思われる。

「虫酸が走る」あるいは「虫唾(むしず)が走る」というコトバも、酸っぱい胃液が口元まで上ってきて不快なところから、不快な人や物を見たときに発する比喩(ひゆ)的な常套句だが、元は、胃の中に棲んでいる寄生虫の分泌物が、食道から口元に上ってくると考えられていたわけで、今なら逆流性食道炎という立派な病名をつけられそうだ。

小さな子供がぐずったり、夜泣きをしたりすると、昔は「疳(かん)の虫」のせいにしていた。子供の体内に棲んでいる疳の虫が暴れてこういった症状を引き起こすと思われていたのだ。実は私も、疳が強い子供だったようで、虫切りに連れて行ったけれども、ちっとも治らなかった、と母親に聞かされた覚えがある。

右に挙げた三つのタイプの虫は「私」の分身ではなく、私とは別の生物である。

西洋にも、こういったタイプの虫にまつわる常套句がいくつかある。例えば、「Open a Can of Worms」。Worm というのはミミズやウジムシやイモムシといった、もぞもぞと歩き回るタイプの環形動物や昆虫のことで、こういった Worms が詰まった缶を開けたらどうなるかというと、厄介なことになって収拾がつかなくなる。「パンドラの箱を開ける」と同じような意味で、ややこしいことになった時に使う常套句であるが、このWormsは体の中の虫ではない。

「Ants in Your Pants」。直訳すれば、ズボンの中のアリだが、じっとしていられないとか、そわそわしているといった時に使う比喩的表現で、確かにズボンの中にアリが入っていれば、くすぐったくてじっとしていられないだろうが、普通はズボンの中にアリなど入らないので、このコトバを考えた人はアリの巣の上を歩き回って、アリがズボンの中に入ってきたのかもしれない。

「Butterflies in the Stomach」。胃袋の中の蝶。不安や緊張でドキドキするという意味である。「虫酸が走る」にちょっと似ているが、この表現は空想的だ。胃袋の中に寄生虫がいるというのは想像ができても、胃袋の中に蝶がいるわけはない。しかし、胃の中で蝶が羽ばたけば、胸がドキドキしそうな感じはわかる。なんとなくロマンティックだけれども、英語圏の人にとって、虫は日本人に比べて、あまりリアルな存在ではなかったのであろう。

意味深長な虫たち

こういった英語の表現に出てくる「虫」に比べて、日本語の表現に出てくる「虫」はずっと意味深長で奥が深い。例えば、「虫の知らせ」。何となく良くないことが起こりそうな予感がする、という意味だが、良いことが起こりそうだとの文脈では使われない。「昨晩（ゆうべ）、田舎のおばあさんの夢を見たのだが、今朝起きたら、ちょうどそのころおばあさんが亡くなったとの電話があって、あれは虫の知らせだったに違いない」というようなものが定番的な使い方だ。

はて、この「虫」はどこにいるのだろう。私の中にいる私の分身なのか、それとも、おばあさんの体にいて、おばあさんが亡くなったことをテレパシーで私に知らせてくれたのだろうか。はたまた、天界を漂っていて、この世で起こる不幸をいち早く察知して、関係者に知らせる霊のような存在なのか。どうもよくわからないな。

脳科学的には、心配事が夢に反映されて、凶事の予感という形で現れると考えるほかはない。すると「虫の知らせ」の「虫」も私の分身ということになる。オカルト好きの人には陳腐だと叱られそうだけれども、大概の正解は陳腐なことが多いので仕方がない。

さて、一番よくわからないのが「虫がいい」というコトバだ。自分の都合ばかり考えて、ずうずうしいといったような意味だが、この「虫」って何だろう。ちょっと調べてみたら、

「三戸の虫」のことだという。「尸」を手元の漢和辞典で調べると、「しかばね」あるいは「位牌（いはい）」のことのようで、なんでこれが虫なのかよくわからないが、人間の体内には、頭の中に「上尸」、腹の中に「中尸」、足の中に「下尸」という3匹の虫が棲んでいて、上から順に、金銭欲の虫、食欲の虫、性欲の虫だそうで、これらの虫が喜ぶことを「虫がいい」と言うそうである。そこから、欲深い人間のことを指すようになったらしい。

この「虫」も結局は私の分身だね。というよりも私そのものかもしれない。

野生動物の自己家畜化と人類の自己家畜化

いかにして家畜になったか

自己家畜化という言葉がある。

家畜は、人間が利用するために飼育されている動物だが、通常は、家畜が自主的にそのような状態を選んでいるわけではない。それに対して、自己家畜化は、野生動物が自分から人間の居住場所に入り込んで、人間と共生する道を選ぶプロセスのことである。イヌやイエネコは、多少とも自己家畜化の結果誕生したと考えられている。

現行の動物分類学では、DNA分析の結果、イヌはオオカミ（別名はタイリクオオカミあるいはハイイロオオカミ *Canis lupus*）と同一種だと考えられている。一応、亜種名が与えられているが（*Canis lupus familiaris*）、亜種を決定する厳密な同一性は存在しないので、便宜的なものだと考えてよい。

以前メルマガでイヌとイエネコの自己家畜化について言及したことがある（生物学もの知り帖　第136回）が、少なくとも家畜化の始まりに当たっては、自己家畜化と言えるプロセスが存在したことは間違いないと思われる。たとえば、イヌは、2万9000年～1万4000年前の最終氷期の終わりごろに家畜化されたが、そのきっかけは、人間の食べ残した肉を漁りに人間の居住地の周りに出現し始めたことだと言われている。

農耕が始まる前までは、人間は冬の間、狩りで獲った動物の肉を食べて暮らしていたが、ヒトはタンパク質だけを摂る食事をしていると具合が悪くなって、最終的には死んでしまう。この現象は、現在では「ウサギ飢餓」あるいは「タンパク質中毒」として知られている。タンパク質が総摂取エネルギーの35％を超えると、高アンモニア血症、高アミノ酸血症などの不具合を起こすのだ。狩猟採集生活を送っていた頃の人類も、経験的にそのことをよく知っていて、脂肪分の多い肉を好み、タンパク質だけの赤身肉は捨てていたのだ。

オオカミは、代謝メカニズムがヒトとは多少異なり、体重当たりのタンパク質摂取量がヒトの4倍くらい必要と言われているので、人が捨てた赤身肉はご馳走だ。自身で狩りをするより、人間の居住地の周りに落ちている肉を漁る方がはるかにコストパフォーマンスがいいので、これを覚えたオオカミは人間と共存するようになる。そのうち人間の方でも、従順なオオカミを選別して、選択的に食べ残しの肉を与えて、猟犬や番犬として家畜化を進めたのだろう。

一方、イエネコはヨーロッパヤマネコ（*Felis silvestris*）の亜種とされ（*Felis silvestris catus*）、ヨーロッパヤマネコの別亜種とされるリビアヤマネコ（*Felis silvestris lybica*）が家畜化したものだと考えられている。農耕が始まって穀物を貯蔵するようになると、ネズミが穀物を狙って住居に侵入してくる。それを追ってリビアヤマネコが人間の住居の周りに居つくようになったのが、家畜化の始まりだとの説が有力だ。人間が野生のリビアヤマネコを飼いならしたわけではなく、自分から人間と共存を始めたようだ。従って家畜化の起源は、農耕を始めた1万年前より後である。

家畜になった後のイヌは、人間の用途に合わせて品種改良されたが、ネコは、近年、愛玩（あいがん）用に沢山の品種が作られる前までは、品種改変が進まずに、人間の住居で暮らしている野生動物と言ったほうが相応（ふさわ）しく、その外観も祖先のリビアヤマネコとさほど違わない。

一方イヌがオオカミとずいぶん外見が異なるのは、人間に従順で、自分で獲物を狩る必要がなかったので、体つきが変わったためだ。オオカミはイヌに比べ歯が大きく顎（あご）も頑丈で、咬筋（こうきん）も発達して、狩りに適した形質を持っているが、人間にエサを貰（もら）って雑食性になったイヌは、これらの形質が脆弱になった。

人為選択によって家畜化すると、形態や性質はあっという間に変化するようで、たとえば、野生のキツネから従順な個体だけを選別して、交配を繰り返すと、8世代ほどで性質が寛容で従順になるばかりでなく、形態も変化して、毛色が白いまだら模様、垂れ耳、巻き尾、小さめの頭骨といった、オオカミに見られずイヌに見られる特徴が現れるようになる。

家畜の共通点

家畜になるきっかけはともあれ、家畜には共通の特徴がある。


1：形態が多様化して、変異の幅が大きくなる。

野生動物は棲息環境にあまりにも不適応な形態であると生存できず、適応的な形態に収斂するが、飼育動物はエサを自分で取る必要がなく、飼育環境もコントロールされているので、本来の棲息環境に適応的でない形態に改変することができる。イヌやネコには様々な愛玩用の品種があるが、これらの品種は、人間の庇護がなければ、生きられないだろう。

ヒトも、料理をするようになったおかげで、食べ物が柔らかくなり、歯や顎骨が縮小した。

これは家畜の特徴である。

2：繁殖期が変化する。

家畜化に伴って、季節繁殖から周年繁殖に変化する動物が多い。たとえば、オオカミは季節繁殖で、通常年に1回、春に出産して子育てをするが、これは春から夏の子育て期間に、メスの栄養状態が最もいいからだ。飼育下のイヌは栄養状態が季節によって変わらないので、周年繁殖をする。他にも周年繁殖をする飼育動物は多く、ブタやウシやウサギなどの家畜も周年繁殖である。ネコは季節繁殖動物だが、それは家畜化がイヌほど進んでいないせいかもしれない。雌ネコは長日になると発情するが、家庭で飼育されている場合、夜も明るいので、こういったネコは周年繁殖になるようだ。もちろん最も典型的な周年繁殖動物はヒトである。

3：病気への耐性が低下する。

家畜は品種改良の過程で、近親交配によって、性質を固定されることが多く、固定された品種は遺伝的多様性が低くなり、特定の感染症にかかり易くなったり、病気を誘発する劣性の遺伝子がホモになったりして、病気への耐性が低下する。純系の家畜の品種は感染症が流行すると、全滅する恐れなしとしないが、野生動物は個体群内の遺伝的多様性が高いため、疫病が流行しても、全滅する恐れは低い。

4：自立性が低下する。

家畜は自らエサを探して採取したり、狩りをしたりする必要がなくなったので、自立性が低下し、中には自力で生きていくことが難しくなったものもある。愛玩用の小型のイヌやネコは、野に放たれたら、自力で生きていくことができず、野垂れ死ぬだろう。人間に面倒を見てもらえないと生きていけないので、飼い主に対して媚(こび)を売るペットまでいる。

現代人も、1と2と4の特徴を備えているので、この観点からは家畜と言っていいだろう。ただほとんどの家畜は、イヌやネコなどの少数の例外を除いて、人間が強制的に家畜にしたわけで、自主的に家畜になったわけではない。人間だけが、自ら創造した文化環境の中で、自らを家畜化した唯一の動物なのだ。

現代人の家畜的感性

人間の「自己家畜化」という概念は、1937年にドイツの人類学者E・フォン・アイクシュテットが、家畜との平行現象に着目して、人類進化の説明原理として提唱したものだ。それでは、人類はいつから自己家畜化の道を歩みだしたのだろう。

30万年前に出現した現生人類（*Homo sapiens*）は農耕を始める前までは、基本的に野生動物だったと考えてよいだろう。せいぜい50人くらいの小集団（バンドと呼ばれる）で暮らしていた頃の人類は、自分たちで食べ物もねぐらも確保せざるを得ないわけで、生活の大半を他者に頼っているという意味での家畜からは、はるかに遠い生活をしていた。それが、作物を栽培して定住生活をするようになり、集団が大きくなると、集団の秩序を維持するために、ルールやタブーが作られるようになったと思われる。

完全な狩猟採集生活から、米などの穀物を栽培する農耕生活への移行段階は、日本では縄文時代で、狩猟採集と栗などの栽培により食物を確保した定住生活である。有名な青森県の三内丸山（さんないまるやま）遺跡は５９００〜４２００年前の縄文時代の住居跡で、人口は最盛期には３０００〜５０００人と推定されている。階級が分化するところまではいかなかったにせよ、これだけの人数のヒトが住んでいると、集落の掟（おきて）を無視して行動するわけにもいかず、完全な狩猟採集生活時代と比べて、自立性、自主性が低下して、多少家畜的感性を身に付けるようになったろう。

集落内で消費する食べ物は自分たちで確保していたわけだから、食物を自分たちで生産しないといった形の自己家畜化はずっと後のことで、人間の自己家畜化は自立性と自主性の低下から始まったに違いない。この傾向は本格的な農耕社会に移行するようになって顕著になり、4000〜3000年前に、極端な階級社会である独裁的な帝国が出現して確立した。

このような社会では、被支配者は黙々と命令に従って働かなければ、生きることが許されず、機械化が導入される前に農耕に駆り出されていた動物と同じような扱いを受けていたであろう。集団全体としては、食物は集団内で栽培したり、狩猟したりして調達していたわけだから、家畜と違って、どこかから与えられていたわけではない。ただ家畜は、主人がエサを与えてそれを食べるだけであったのが、独裁国家では、被支配階級が食物を生産して、支配階級がそれを食べるという構図に変わったわけで、主客が転倒したのだ。

自給自足が野生動物の基本生活だとしたら、自給自足ができない支配階級は家畜に近い。現代で言えば第一次産業（農業、漁業）に従事していない人は、家畜的だともいえるわけで、それは貨幣経済と分業化が進んだせいである。独裁国家の成立と呼応して、貨幣が生まれ、衣食住のすべてを自力で賄わずとも、貨幣を媒介して入手できるようになった。ここから人間独自の自己家畜化が始まるわけだが、その話は次項で。

人類の自己家畜化への道

噛む機能を退化させた人類

前項では、人類の自己家畜化は農耕を始めてから起こったという話をした。家畜化すると食性が変わり、それに合わせて、形態が変化する。オオカミからイヌに変わった結果、顎や歯が小さくなり、側頭筋や咬筋も縮小した。これはエサが柔らかくなって、噛(か)む機能が退化したためだと考えられる。

ヒト以外の霊長類はMYH16（Myosin Heavy Chain 16）と呼ばれる、側頭筋と咬筋を強靭(きょうじん)にする遺伝子を持っているが、ヒトにはない。200万年くらい前に突然変異によって消失したと考えられる。人類が山火事などで自然発火した火を使えることを覚えたのは、MYH16の喪失と呼応しているように思える。火を使えば食材が柔らかくなり、顎の筋肉は強力である必要はなくなる。火を使うことを覚えたのはホモ・エレクトスの時代だったようだが、ホモ・サピエンスが自ら火を起こして日常的に使えるようになったのは13万～12万年前のことだと言われている。

火の使用を覚えてから、人類は火を用いて料理を始めたのだろう。ホモ・エレクトスの歯の付着物から、加熱処理なしには食べるのが難しかったであろう硬い肉や根菜の断片が見つかっている。MYH16遺伝子の消失は突然変異による偶然であるが、これがあまりにも非適応的な変異であれば、集団中に広まらない。火を使って料理をすることにより、食べ物が柔らかくなったので、嚙む力が弱くなっても、生きるのに差し支えなくなったのだ。

多くの家畜は人間によって食性を変えられることによって、形態が変化するが、人間は、自ら料理をすることにより食性を変えて、これに呼応して形態が多少変化したのである。これも広義には自己家畜化と言えないこともない。

イノシシを家畜化したブタは自ら動き回ってエサを取る必要がなくなったので、歯や顎といった咀嚼(そしゃく)器官が退化傾向を示し、鼻先が短くなった。これはオオカミからイヌ、あるいはサルからヒトへの変化と軌を一にしている。

自立性の低下と従属性の増大

家畜化に伴って、イヌやブタは周年繁殖をするようになったが、これも、いつでもエサがあることと関係している。ヒトもかつてエサの供給量が季節によって大幅に異なっていた時は、季節繁殖をしていたのかもしれない。しかし、ニホンザルは季節繁殖、チンパンジーは周年繁殖をすると言われているので、ヒトの周年繁殖はヒト以前からの習性であった可能性もある。そうだとすれば、ヒトの周年繁殖は自己家畜化とはとりあえず無関係だ。

次に、病気への耐性が低下するという話はどうだろう。

飼育動物は人為的に交配させられるので、遺伝的に極めて偏った品種を作ることが可能で、その結果、病害虫への耐性が低下し易い。人間は選択的に交配させられることは通常ないし、病気になり易い遺伝子は自然選択の結果、淘汰（とうた）されていくので、病気への耐性が低くなることはないと考えられる。

しかし近年になり、医学の進歩に伴って、病気になり易い遺伝子を持っていても、治療によって生き延びて子孫を儲けることが可能になり、人類個体群の遺伝子組成を自然選択とは別のやり方で、改変することができるようになった。例えば、血友病の遺伝子を持っている人は、かつては比較的早死にで、子孫を作る人は稀（まれ）であったが、治療薬の進歩により、子孫を残す人も多くなり、その結果、血友病の遺伝子は人類個体群の中から消えにくくなった。

これとは逆に、出生前診断などにより、病気になり易い遺伝子を、個体群中から人為的に除去することや、将来的には遺伝子編集などの技術の進歩により、優れている（と思われている）遺伝子を導入することも可能になるかもしれない。これは現代版の優生学で、別の著書で論じたことがあるが（『「現代優生学」の脅威』インターナショナル新書　集英社2021）、こういった人類個体群の遺伝子組成への介入も、一種の自己家畜化と言えないこともない。

火を使って料理をすることによる咀嚼機能の低下、医療の進歩による人類個体群の遺伝子組成の変化などは、しかし、人類の自己家畜化としてはむしろ些末（さまつ）な部類であろう。さらに重大な自己家畜化は、食物生産の方法を飛躍的に進歩させたことと、食物の分配システムを構築したこと、食以外の生活環境を改善したこと、そして、精神的な面では、自立性の低下と従属性の増大があげられるだろう。

「役に立つ」ということ

ところで、右記のような自己家畜化の推進に通底しているのは「役に立つものは善、役に立たないものは悪」という思想である。文化人類学者の川田順造（かわだじゅんぞう）は次のように述べている。

動物の家畜化は、一つの種の動物がもつある特性を、人間の利益に適うように人為的に発達させる過程として定義できるだろう。だが同時にこの過程を経ることで、その種は次第に、人工的に調整された生活条件に依存しなければ生きられないようになってしまう。そしてさまざまな種の動物を家畜化しながら、実はヒト（ホモ・サピエンス）という動物の種も、いま述べたような意味での家畜化を、自分自身に対してすすめてきたのである。つまり、元来はきわめて多面的であったはずのヒトの性向や能力のうち、ある社会に役立つと考えられる面を、その社会は教育によって意図的に開発し、他の面は抑圧して、いわゆる文明の進歩を実現してきた一方で、ヒトはその社会が調整した生活条件に依存しなければ、生きられなくなってきているのである」

（尾本恵市（おもとけいいち）編著『人類の自己家畜化と現代』34‐35ページ　人文書院　２００２）。

狩猟採集生活から米、小麦、トウモロコシなどを主に生産する農耕生活に移行すると、穀物を貯蔵できるようになる。狩猟採集生活をしていた頃は、基本的に獲物は長く貯蔵できないので、その日食べるエサを取れば、後は働く必要がない。もちろん何日も獲物にありつけなければ、飢えて死んでしまうわけで、極めてリスキーな生活であったろうが、死ぬも生きるも運次第で、思い煩っても仕方がない。まあ、その日暮らしの、呑気と言えば呑気な生活であった。実際、現在も狩猟採集生活をしている部族の平均労働時間はせいぜい1日3時間くらいだという。

ところが、穀物を貯蔵できるようになると、働けば働くほど収量は増えるので、長く働くことは収量を増やすのに役に立つということで「善」、働かないのは役立たずということで「悪」という話になってきたのである。狩猟採集は、狩りや採集に携わる一人ひとりがそれなりの知識や技術を持っている必要があったが、農耕は一握りの指導者の命令通りに動く方が効率がよく、反抗的な人間は排除されるので、農民は農耕をする以外の能力は求められずに、農耕という目的のために役に立つ家畜に近くなってきたわけだ。労働時間も、狩猟採集生活をしている時に比べればずっと増えたろう。本格的な農耕の始まりは、階級社会をもたらし、支配階級は余剰の財を収奪したに違いない。

では、支配階級に関しては自己家畜化が当てはまらないかと言えば、そんなこともないのだ。支配階級といえども、システムの一員として生きている限り、部族から離れて単独で生きていくことは難しい。部族の条件に依存して生きていかなければならないのは、被支配階級の人々と同じである。

農耕によって食料が増えれば人口も増える。人口が増えればさらに効率がいい農業形態が求められる。牛馬を農耕に使うことを覚え、農具も使い勝手がいいものに改良したろう。道具が高度化すると、道具を使う人は道具を作れず、道具を作る専門の職人が現れる。農民といえども、すべて自給自足というわけにはいかなくなってくる。

それでも、化石燃料や電気を使う農法が登場するまでは、やりようによってはほぼ、自給自足生活が可能であった。その典型は江戸時代の里山である。拙著『ＳＤＧｓの大嘘』（宝島社新書　２０２２年）に書いたので、ここでは詳しく述べないが、江戸時代の里山は、水田の持続可能性に基づいて設計された自給自足が可能なコミュニティであった。食料も住居も自分たちで賄えたという意味で、自己家畜化が拡がった近代社会で、完全とは言えないまでも自己家畜化から免れている稀な例であろう。

自己家畜化が進むと、食料のみならず、生活必需品も自給自足できずに、他人から提供してもらう必要がある。最も原始的なやり方は、お互いに必要な物の物々交換だが、そのうち貨幣が発明されて、必要な物を買うという方法が編み出された。だから貨幣は自己家畜化の産物なのだ。自己家畜化が進んでいない社会では、故に貨幣はあまり役に立たない。

貨幣経済が当たり前になった現代社会に生きる人々は、貨幣経済システムという飼い主の下で養われている家畜のようになってきた。

ところ変われば

生活に必要な物を自給自足で賄えないので、お互いに依存しあっているという点では、現代人は誰もが家畜に近いけれども、必要な物をどのように製造したり生産したり利用したりするのかという点に関しては、民族と文化によって大きな違いがある。

川田順造は、先に引用した論考の中で、ブルボン王朝から１９６０年代までのフランスと、徳川幕藩体制成立から１９６０年代までの日本の、技術文化の指向性を比較して次のように述べている。

まずフランスについては、「指向性の第一は、個人的な巧みさに依存せずに、誰がやっても常に一定の良い結果が得られるように道具や装置を工夫することであり、第二は、できるだけ人間以外のエネルギーを使って、しかもより大きな結果を得るようにすることである」。

次に日本については「指向性の第一は、機能が未分化の単純な道具を、人間の巧みさで多様に、そして有効に使いこなそうとすることであり、第二は、より良い結果を得るために、人間の労力を惜しみなく注ぎ込むことである」。

　この川田の分析は、西洋と日本の近現代の自己家畜化の様相の違いを考察する概念装置として極めて有効であるが、それについてはさらに次項。

「道具の脱人間化」と「人間の道具化」

ヨーロッパ発「道具の脱人間化」

前項で述べたように、川田順造は、17世紀初頭から1960年代までのフランスと日本の自己家畜化の様相を比較して、次のように述べた。

前者の指向性として、1．個人的な巧みさに依存せずに、誰がやっても同様な結果が出るように、道具や装置を工夫する。2．できるだけ人間以外のエネルギーを使って、より大きな結果を出したい。一方、後者の指向性として、1．機能が未分化の単純な道具を、人間の巧みさで多様に、そして有効に使いこなす。2．よりよい結果を得るために、人間の労力を惜しみなく注ぎ込む。

川田は、前者の指向性を「道具の脱人間化」、後者を「人間の道具化」と呼んでおり、これは彼我の自己家畜化を比較するうえで、極めて有効なコンセプトなので、いずれ詳細に論じたいが、ここでは、卑近な例として、食事を食べる時の道具について述べたい。

日本では多くの人は、2本の棒きれである箸(はし)を器用に使いこなし、これでほとんどの食事は事足りるが、ヨーロッパでは、カトラリー(スプーン、フォーク、ナイフなど)がないと埒(らち)が明かないことが多い。時々、会食などで、フランス料理が出されると、用途に応じて沢山のカトラリーが食卓に並んでいるが、分厚いステーキは別として、日常的に箸を使っている身としては、箸一膳(ぜん)あれば、間に合うだろうと思うことが多い。一つの道具を様々な場面で使い回すのではなく、用途に応じて、一番使い易い道具を使う指向性が、ヨーロッパ人には身に付いているのだろう。

箸を使うのは大凡、日本、中国、韓国、ベトナムなどの東アジアに限られ、東アジアとヨーロッパ圏以外の、アジアやアフリカなどでは手を使って食べることが多い。これも、結構技術が必要で、「人間の道具化」の例と考えて差し支えない。従って、「道具の脱人間化」はヨーロッパから始まった自己家畜化の指向性であることは間違いない。

というわけで、ヨーロッパ発の「道具の脱人間化」について、以下論じてみたい。

二つの革命による自己家畜化

ヨーロッパの農業は、小麦の栽培と、ウシ、ヤギ、ヒツジなどの家畜の飼育が結合した、農牧複合から始まっており、それが中世になって三圃（さんぽ）制が主流になる。三圃制とは3年周期の輪作で、1年目には人間の主食である冬作のコムギやライムギ、2年目には家畜の飼料であるオオムギやエンバク、3年目には休閑を兼ねた放牧地の牧草栽培というローテーションで行う農業で、円滑に行うためには、ある程度広い土地をいくつかに分割する必要がある。

人間の主食であるコムギを作った土地は3年後でないとコムギが植えられないため、常にコムギを作るためにはかなり広い土地を計画的に管理する必要がある。そうなると当然、農地の集約化が進み、領主の権力の増大に資したと思われる。三圃制にとって、家畜は食料としてばかりでなく、労働力としても重要で、畜力は畑を耕す効率が人力よりはるかに高く収量が増大した。余剰生産物は貨幣化されて、農民の自立を促し、農奴性の崩壊の契機を作ったと言われている。ともあれ、家畜を使う畑の耕起は「道具の脱人間化」の一環であり、生産手段を人間以外のものに移して、自給自足から多少遠ざかるわけで、自己家畜化が進むことになる。

18世紀になると、農業革命が起こる。農業革命は三圃制よりさらに効率がいいノーフォーク農法と呼ばれる休閑をなくした農法と、囲い込みによる収量増大運動で、この結果、穀物生産量が飛躍的に増え、ヨーロッパの人口増加を促した。ノーフォーク農法は4年周期の輪作で、同一耕地にオオムギ→クローバー→コムギ→カブなどの根菜、を順番に栽培するもので、クローバーとカブは家畜の飼料となった。冬の寒さに強いカブを栽培することで、1年を通して穀物の栽培と家畜の飼育が可能になった。

クローバー（他にもサインフォイン、ライグラスなど）は地力を回復させる性質を持っているため、放牧と同時に地力回復を図れ、家畜の冬季の糞も肥料になったため、この農法はきわめて合理的であった。しかし、この農法は三圃制よりも集約的な労働と、広い耕作単位を必要としたため、土地を借りて農業を行っていた小作農から土地を取り上げる、いわゆる「囲い込み」が起こり、多くの農民が賃金労働者になったと言われる。食料を曲がりなりにも自分で作って、自分で食べるというやり方から、食料を作って賃金を貰い、それで食料を買うという、より間接的なやり方になったわけだ。貨幣経済の発達がこれを可能にしたが、自己家畜化は一段と進んだことになる。

農業が効率的になったことにより、同じ収量を得るために必要な農業人口は減少する。もちろん食料が増えたので人口は増加するが、農村は増えた人口を労働力として使う必要がなくなってくる。そこで、起きたのが産業革命である。産業革命は工業革命とも言われ、従来、人力で行っていた労働の一部を機械化して、人力以外のエネルギーを投入して、効率的に製品を作ろうとする運動である。

少子化で困るのは誰なのか

産業革命はイギリスでは綿織物工業の技術革新から始まった。

従来1本ずつ糸を紡いでいたものから、8本以上の糸を同時に紡ぐことができる多軸紡績機が発明され、次いで水力紡績機が作られた。これは人力では動かせない大型の機械であったため個人の住宅向きではなく、工場を作って水力を使い、数百人の労働者を働かせることで、綿糸の大量生産が可能になった。これにより、紡糸作業に熟達した労働者は必要なくなり、農村から流入した未熟な労働者でも、同じ質の製品が生産できるようになり、川田の言う「道具の脱人間化」が進んだ。

綿織物技術はさらに改良を重ね、19世紀の初頭にはイギリスの主要産業に成長して、全世界に輸出するまでになった。やがて、エネルギー源として化石燃料や電気が使えるようになり、これを使った船、機関車、印刷機、ガラス製法が発明された。機械を作るための鉄の需要が増大して、製鉄技術の改良が進められた。

工業化が進むと、都市に住む人々が増加してくる。産業革命前までは、人口の大半は農民が占めており、少数の領主と多数の農民という階級（とその対立）が、社会システムの基本を作っていたが、産業革命後は都市人口が増大して、工場を所有する資本家と、そこで働く労働者が、社会システムを構築する重要なメンバーとなってくる。都市に住む人々は基本的に食べ物や生活必需品をお金で買わなければならない。

自分たちで生産できる工業製品と、生活に必要な物の種類数があまりにも違い、後者の方が膨大なので、貨幣という媒介項がなければ社会システムが成り立たなくなり、産業革命後の自己家畜化は、分業化と貨幣経済に強くカップリングすることになる。資本家は、なるべく安い賃金で、長い時間、労働者を働かそうとするが、労働者はなるべく高い賃金で、労働時間も短い方が嬉しい。労働人口が少ないと、資本家が労働者を取り合い、賃金が上がるので、資本家にとっては、人口が右肩上がりで増加する方が有り難い。

かくして、人口増を前提として、資本主義は発展し、それは今日まで続いている。少子化で困るのは資本家で、労働者は賃金が上がるので、困ることはない。少子化が困る困ると騒いでいる政権があるとすれば、この政権は資本家の走狗になっているからに違いない。

生態学的見地から見ても、全世界のＮＰＰ（純一次生産量：植物の光合成量から植物自身が使う量を引いた残り：従属栄養生物が使うことができる食物エネルギーの上限）は決まっているので、人口が減少すれば、人類による資源消費が少なくなり、それだけ野生生物の取り分が増えるので、生物多様性の増加に資することになる。また、人口が減れば、１人分の利用可能な資源量が増えるので、個人の幸福度は上昇するに違いない。

「労働は苦役」という思想

ともあれ、ヨーロッパでは、産業革命を境に工業化が進み、「道具の脱人間化」が進展して、なるべく人力以外のエネルギーを使って機械を動かし、人間の労働を減らそうとの指向性が顕わになったのは確かだろう。この背景にあるのは、労働は苦役だという思想である。「フランス語で労働を意味する『トラヴァイユ』"travail"という語は、古代ローマで、容疑者を拷問するために縛りつけた三本の柱『トリパリウム』"tripalium"に由来している。この見方では労働は拷問に比せられるものであり、生活の糧を得るために堪え忍ぶべき苦難とみなされるといえるだろう」（川田順造「人間の自己家畜化を異文化間で比較する」尾本恵市編著『人類の自己家畜化と現代』46ページ　人文書院　２００２）。

一方、日本では労働は苦役とはみなされず、川田の指摘によれば、「『はたらく』というのは元来、自分の属する集団のための、奉仕的で自発的な行動を指していたのであり、報酬を前提とした、契約にもとづく経済行為を意味するものではなかった」（川田、前掲書47ページ）ということになる。

こういった彼我の労働観の違いは宗教的哲学的な背景と共に、ヨーロッパのコムギ、日本のイネ、という主要な穀物の栽培法の違いにも帰すことができそうだ。日本の里山での伝統的な水稲栽培は、灌漑(かんがい)用の水利施設の管理や、田植えや稲刈りなどの短期の集約的な共同作業が必要で、条件が限られた土地での連作が可能な水稲栽培では、ひたすら人力を投入して少しでも収量を増やす以外に、重い年貢を課せられた農民の生きる術(すべ)はなかったのである。まさに川田の言う「人間の道具化」である。

農業革命、産業革命と共に、市民革命を通して、人々が自由を求め、権利意識を持つようになった欧米と違って、市民革命を経験しなかった日本では、上述の労働観が今に至るまで引き継がれ、「はたらくことは美徳だ」という倫理観が跋扈(ばっこ)している。これは、サービス残業やブラック企業を温存させることに繋(つな)がっており、日本の自己家畜化の特徴だが、長くなるので、この話は、いずれまたどこかで。

構造は機能に先行する

機能第一主義と構造第一主義

昔から、機能と構造はどちらが第一義的かという議論があって、前者を機能第一主義、後者を構造第一主義ととりあえず呼ぶとして、前者は「この世界の構造（システムや形態や道具）は何らかの目的を遂行するために存在する」という考えであり、後者は「機能は構造から派生する随伴的な性質だ」との考えである。

人間社会で暮らしていると、身の回りの大概の物は人の生活に役立つ物なので、機能第一主義を受け容（い）れるのは容易（たやす）い。生物であるヒトは生きるために様々な営為を行わざるを得ず、ただ存在するだけでは死んでしまうからである。翻って、人類とは独立の無機物には、機能第一主義は無縁である。

例えば、太陽系は何らかの目的を遂行するために存在しているわけではない。もちろん太陽がなければ、人類は存続できないから、太陽は人類の存在にとって大きな役割を担っていることは間違いないが、太陽は人類の生存のためにあるわけではなく、太陽が存在する故に人類はその恩恵を蒙(こうむ)って生きていられるのである。すなわち人類の生存は、太陽の存在から派生する随伴的な機能なのである。ここでは機能第一主義は成り立たない。

一方、機能第一主義は、生物界の説明原理として根強くはびこっており、生物の構造は何らかの機能を遂行するために存在すると信じる人は多い。それは、生物は、繁殖して子孫を残さなければ、絶滅してしまうので、生物の究極目的は子孫を残すことであり、生物の構造はそのための装置だとの考えが、かなりの説得力を持って受け容れられているからであろう。

しかしこの手の考えはどうも私にはうさん臭く思われる。

私見によれば、生物というシステムは、繁殖のための装置として作られたわけではなく、なぜか知らないが存在してしまった結果、繁殖という機能が随伴したのである。だから、生物は繁殖を最適化するために作られているわけではなく、とりあえず、絶滅を回避できる最低限の繁殖機能を持つ装置としての生物体でありさえすれば、出来の悪い装置でも、存在できるわけである。

生物の繁殖の方法は、無性生殖、両性生殖、単為生殖といろいろあって、一番一般的な両性生殖（染色体数２ｎの雌雄の細胞が減数分裂して、ｎの卵とｎの精子を作り、それが合体して２ｎの子になる）が一番手間がかかる。雌雄が出会って受精に至るには、オスがメスをめぐって争ったり、パートナーを探し求めたりと、コストがかかる。繁殖方法としては効率的でないにもかかわらず、この方法を採用する生物が多いのは、なぜかという問いに対して、遺伝的多様性が増えて、環境変動によって絶滅する確率が減るからという説明がなされてきたが、恐らく本当のところは、両性生殖という非効率的な方法であっても滅びなかったからだと私は思う。

ヒルガタワムシという多細胞の微小な動物がいる。全世界に４５０種ほど分布し、そのすべては単為生殖で子孫を残し、約４０００万年前から生き延びている。両性生殖で遺伝的多様性を担保しなくても、絶滅しない生物もいるのである。ただ、ヒルガタワムシは、他の生物から水平伝播（でんぱ）（種を超えて伝播すること）でＤＮＡを取り込んで、遺伝的多様性を保っているので、遺伝的多様性が保たれなければ、種（または種の系列）は長く生き続けられないというのは本当かもしれない。

絶滅しなかったというだけ

生物は生き延びるために生殖方法を編みだしたわけではなく、無性生殖、両性生殖、単為生殖という基底の構造の下で、生き延びる方法を発見したのである。すなわち、機能が構造を作ったのではなく、構造の許す範囲で、機能が随伴したわけだ。

機能第一主義に頭の隅まで支配されている生物学者は、何であれ、生物の形質は、その形質を持つ生物の生存に資する、とア・プリオリに考えることが多く、ある形質を持っているにもかかわらず、生物は生存することも可能だとの考えには思い至らない。

ヒトは体毛を失った哺乳類で、体毛の喪失は耐寒性という観点からは明らかに不利である。多くの進化論者が、体毛の喪失には何か適応的な意味があるという考えに縛られて、様々な仮説を唱えてきた。例えば、人類は海辺で進化した（エレイン・モーガン）とか、ヒトの裸化は性選択の結果だ（チャールズ・ダーウィン）とかいった説は、機能第一主義のなせる思考パターンの典型である。

私見によれば、ヒトの裸化は何らかの機能のために進化したわけではなく、機能とはとりあえず独立の形質として現れたのであって、確かに耐寒性という観点からは不利であったが、それにもかかわらず、人類は凍死して絶滅することはなかっただけなのだ。おそらく、外胚葉（がいはいよう）の発生過程で、何らかの遺伝的な変異が生じて、脳が巨大化した（あるいは言語を獲得した）随伴形質として不可避に生じたのであって、適応的な意味はないのだ。

巨大な脳を獲得して賢くなったヒトは、寒さを防ぐために火を使用したり毛皮をまとうようになったが、火を使用したり、毛皮をまとうために、脳が大きくなったわけではないのは、普通に考えてみれば当たり前である。脳が大きくなった結果、様々な道具を作れるようになったのだ。従って、ここでは道具は機能のために作られたという機能第一主義は有効な考えとなる。しかし、脳をはじめとして、様々なヒトの器官は、機能のために作られたわけではなく、作られた後で、機能を発見したのは自明であろう。

能動的適応という考え方

先にチャールズ・ダーウィンの名を出したが、ダーウィンの唱えた自然選択説は機能第一主義の権化で、以下その話をしよう。

ダーウィンの主著『種の起源』（原題はOn the Origin of Species by Means of Natural Selection, or the Preservation of Favoured Races in the Struggle for Life）は、生物の構造は機能によって選択されて作られたという話で満ちている。

ダーウィンは変異の原因を知らなかったが、変異が遺伝することは分かっていた。変異の中で、より適応的なものが選ばれていくという繰り返しで、機能は形態を徐々に変えていくというのが自然選択説の要諦（ようてい）だ。ダーウィンは用不用の説を信じていたので、よく使われる器官は発達して、使われない器官は衰退して、形質は遺伝すると考えていたわけだから、機能が構造を直接変えるプロセスがあることを当然視していたはずだ。

ダーウィンは変異の原因は分からないとして、変異（構造）の出現に機能が関与したか、あるいは変異は機能とは独立の原因で作られたかに関しては判断を留保しているが、自然選択説は、様々な変異の中でより適応的なものが選択されていくプロセスなので、用不用の説のように機能が直接的に構造を変えなくとも、選択というプロセスを通して、機能が徐々に構造を変えるという点に関しては機能第一主義なのである。

変異の原因が遺伝子の突然変異だとするネオダーウィニズムは、個々の変異の出現に関しては機能第一主義を脱してはいるが、選択を通じて機能が適応的な変異を固定するというプロセスに関しては機能第一主義的なのである。

しかし、この話は、ある特定の場所に留（とど）まっている生物の個体群が、その場所の環境変動に適応的な機能を持つ変異を選択し続け、徐々に構造が変わっていくという文脈の中でしか通用しない。その場所に適応していない変異が現れると淘汰されることを自明の前提としている。

然るに、その場所に適応的でない変異個体が現れたとして、その個体はその場所に留まるとは限らず、自身の変異がより適応し易い場所を探して移動することは普通に起こるだろう。この場合は、構造がまず先にあり、構造が自身に相応しい機能を探すわけだ。

例えば、棲んでいる場所の気候が変動して、寒冷化したとする。寒冷化に適応的な変異を起こしたものは、その場にとどまって生き延び、変異を起こさなかったり、温暖化に適応的な変異を起こしたりしたものは、淘汰されて死に絶えて、この場所の生物は徐々に寒冷化に適応的なものに変化する、というのが従来のネオダーウィニズムの考えであろう。

ところが、寒冷化に不適応的な変異を起こしたものが、暖かいところに移動したとするとどうなるのか。移動したという事実を知らないで、事後的にこの場所の生物を観察すれば、温暖化に適応的な形質が徐々に進化したと思われるかもしれない。しかし、上述のようなことが起きていたならば、実際は、生物が積極的に自身が棲むのに相応しい場所にやって来たのである。私は、これを〝能動的適応〟と呼んでいる。能動的適応は機能第一主義ではなく構造第一主義的なのだ。

仕事選びも構造第一主義で

この例に限らず、生物は実のところ構造第一主義的な存在なのだと私は思う。遺伝子の突然変異にせよ、ボディプランの変更にせよ、まず適応とは無関係に構造が変わる。この構造があまりにも生きることに対して不適なものであると、生物は生き延びられずに死んでしまう。

しかし、すべての器官が適応的でなくとも、生物は生き続けられるわけで、無心に生物を観察すれば、適応的でない器官は沢山ある。中にはヒトの無毛のように明らかに不適応的なものもあれば、何の機能を持つか分からないものも多い。

例えば、ツノゼミという胸部背面に奇妙な飾りを持った半翅（はんし）目の昆虫がいる。多くの昆虫学者や進化学者が、この飾りの機能的な意味を求めて呻吟（しんぎん）しているが、これは機能とは関係なく発生のプログラムの結果出来上がったもので、こんな変な飾りを持っていてもツノゼミは絶滅しないで生き延びているのである。これは適応的でもなければ非適応的でもない、適応に対して中立的な形質なのだと思う。

機能第一主義は現代社会に深く根付いているため、多くの人は環境が変わると（例えば、会社のシステムが変わると）、その環境に適応しようと、今までの自分のやり方を変えようとするが、自分の最も得意なやり方を遂行できる仕事に変わった方が、無駄な努力をせずにストレスは少ない。構造第一主義的に頭を切り替えてみてはいかがですか。

Ⅲ

〝考える〟を考える

なぜカルト宗教にはまるのか？

大きくなりすぎたヒトの脳

安倍晋三（あべしんぞう）元首相を銃撃した山上徹也（やまがみてつや）被告は、母親が家族を顧みずにのめり込んだ統一教会に肩入れしていた安倍元首相が許せなかったとのことだが、一部の人はなぜカルト宗教に夢中になるのだろうか。

山上容疑者の母親は、統一教会に入信する前にも「朝起会」という宗教にはまって、子供を放り出して朝早くから宗教の集まりに出かけていたようだ。この母親はよく夫に怒鳴られていたというので、夫から逃げたい一心で宗教に夢中になったという面もないわけではないだろうが、夫がノイローゼになって自殺した後も、行動を改めることもなく、夫の遺産を全部統一教会にお布施として差し出しており、お布施の総額は1億円にも上るとのこと。家庭は極貧になり山上被告の兄も自殺し、山上被告も大学に進学するお金がなくて高卒で終わっている。

山上被告が逮捕された後も、この母親は信仰をやめないようで、なぜそこまでカルト宗教にはまるのか理解に苦しむ、というのがごく普通の反応だろう。敬虔(けいけん)な宗教家であっても、実の子供を犠牲にしてまで入れ込む人はまずいない。

そもそもなぜ一部の人はとことん宗教を信じるのか。人間以外の動物には宗教といったものはない。宗教は、動物に比べて大きくなりすぎたヒトの脳が作ったファンタジーだからだ。ユダヤ教、キリスト教、イスラム教（これらの宗教の起源は同一で、ユダヤ教からキリスト教が派生し、キリスト教からイスラム教が派生した）などの世界宗教になった一神教の起源は、高々3300年前である。

これは独裁的な帝国の出現と軌を一にしている。その前にも宗教はもちろんあったが、主としてアニミズム的な多神教で、一神教は稀(まれ)であったと思われる。絶対神は独裁的な帝国のもとで、この世に絶望した奴隷状態の人々が死後のバラ色の世界を夢想したことと強い相関があることは間違いなく、それ以前の狩猟採集生活をしていた人類は、現世の暮らしにそれほど絶望していたわけではなかったので、極端な一神教は発生しなかったのであろう。

神の降臨とシルビウス溝

現在の欧米諸国のカトリックやプロテスタントを信じている人々の多くは、別に現世に絶望しているわけではないだろうけれども、キリスト教徒であるのは、自分が暮らしている社会のマジョリティの習慣を守る方が無難だからだ。いわば、信仰はフリみたいなもので、生活をなげうってまで信心を徹底する人は稀だ。日本ではマジョリティは無宗教なので、多くの人は無神論者か形ばかりの仏教徒である。

その中で、カルト宗教に取り憑かれる人は、神にすがることで、現世の苦しさから逃れたいのだろう。もちろん、現世に絶望していても神にすがらない人もいるので、神にすがる人は、脳の中で、何か特殊なことが生じていると考えざるを得ない。どうやらヒトの脳の中には神を感じる領野があるようなのだ。

V・S・ラマチャンドランとサンドラ・ブレイクスリーによる名著『脳のなかの幽霊』（山下篤子訳　角川書店　1999）には、自分の側頭葉を磁気で刺激して神を感じた研究者の話が出てくる。また、側頭葉てんかんの患者さんの中には、神を感じる人がいるようだ。

私は数多くの患者が「神々しい光がすべてを明るく照らしていた」あるいは「究極

の真実は、平凡な人間には決して手のとどかないところにある。そういう人たちは日常生活のあれこれにどっぷり浸りすぎて、究極の真実の美しさや壮大さに気づかない」といった話をするのを聞いてきた（同書229ページ）。

側頭葉に磁気刺激を与えられた人や側頭葉てんかんの患者さんではなくとも、この部位が活性化すれば、神を感じたりすることはありそうだ。どうやら神は左側頭葉のシルビウス溝に宿っているらしい。前記の本には、側頭葉に磁気刺激を受けて神を感じたという話を聞いたラマチャンドランが、「その装置をフランシス・クリックに試してみるべきかもしれないぞ」とにやりと笑って言った、という記述がある。フランシス・クリックとはもちろんジェームズ・ワトソンと共にDNAの二重らせん構造を発見した生物学者で、無神論者と喧伝（けんでん）されていた人物であり、この本が書かれた当時まだ存命であった。

この記述から、ラマチャンドランが、無神論者の神を感じる脳領域は活性化しておらず、何らかの手段で活性化してやれば、神を感じるに違いないと考えていたことが分かる。シルビウス溝が活性化しなければ、神を感じることはないが、何らかの刺激で活性化すると、神が降臨してきたという感覚にとらわれることは、神の啓示を受けて教祖になった人が沢山いるということからも確かだと思われる。

それでは、シルビウス溝は磁気刺激以外ではどんな時に活性化するのだろう。よく知られているのは集中治療室で治療を受けている時や、死にかけた事故の直後、薬物でトリップしている時、あるいはすさまじい修行をして、精神がトランス状態になっている時などである。カルト宗教が人々を洗脳して、入信させる際に、セミナーとか勉強会とか称して、脳を酷使させてトランス状態に導こうとするのは、シルビウス溝を活性化させて、神を感じさせる（あるいは神秘体験をさせる）ためである。

シルビウス溝の活性化が報酬系や扁桃体（へんとうたい）と結びつくと、ドーパミンが分泌され、極めて強い快感が生じ、いわゆる宗教的な法悦に浸っている状態になるわけだ。単純に言えば宗教依存症になった状態である。ひとたび、ある刺激・報酬系の経路が確立されると、これを元に戻すのが難しいのは、アルコール依存症、ニコチン依存症、セックス依存症、ギャンブル依存症などの例を見ても明らかなので、一度カルト宗教に引きずり込まれた人を改心させるのは、なかなか難しい。

中にはもともとシルビウス溝がセンシティブな人もいるだろうから、こういう人はちょっとしたきっかけでカルト宗教にはまり易いのかもしれないが、多くの人は宗教的な教育キャンプのような場に放り込まれなければ、カルト宗教を信じるようにはならないと思う。

カルト宗教と埋没コスト

ではなぜ、普通の人がカルト宗教に引きずり込まれてしまうのだろうか。そういう人には共通する性質があると思う。

まず、善意の人であること。かつて、統一教会は大学のキャンパスなどで、勧誘していたが、勧誘は大抵「アンケートに答えてくれますか」といったところから始まる。善意の人は、お願いしますと言われると、時間に余裕があれば、断らないことが多いだろう。「ご協力に感謝します。有り難うございます」と言われれば、多少はいい気持ちになるだろう。アンケート項目の中の「霊に興味がある」といったところに丸を付けると、目を付けられて、「霊についての勉強会に参加しませんか」と誘われて、うかうかついて行って、はまってしまうというパターンが多い。

次に、誰かに承認してもらったという経験がほとんどない人。親にも友達にも先生にも疎外されて承認されたことがない人は承認欲求に飢えており、自分を承認してくれる人が現れると、嬉しくなってしまう。カルト宗教はそのことをよく分かっていて、新人が集会に現れると、最初は皆で歓迎して、承認欲求を満たしてやることが多い。リアルの世間の中では自分は落ちこぼれだが、カルト宗教の世界の中では輝いている。ここまでくると、カルト宗教に取り込まれるのは時間の問題となる。後は修行で脳をトランス状態に追い込み、シルビウス溝を活性化して、報酬系と結びつければ、一丁上がりとなる。その後は、教会の奴隷となって働かされるわけだ。

カルト宗教には荒唐無稽な教義が多く、常識的な頭では理解不能なものがほとんどだ。例えば、統一教会では、高価な壺を売ったり、協会にお布施をしたりすることは、サタンに取られた財（要するに社会に流通しているお金）を神に返すとても神聖な行為とされるので、信者は熱心に壺を売ったり、山上被告の母親のように破産をしてまで、教団にお布施をしたりするようになる。

実は、逆説的に聞こえようとも、カルト宗教を維持するには荒唐無稽な教義の方が有効なのだ。信者にとっては、荒唐無稽な教義ほど、世間の人は誰も知らないこの世の真実を、自分たちだけが知っているという優越感に浸ることができるからだ。

宗教は基本的に自我の消滅を恐れる脳が作り出したものなので、どんな宗教でも死後の世界を保証している（もっとも、死んだあと、この世に戻ってきた人はいないので、無神論者の私から見れば、これは空手形に違いないけどね)。死後の世界は天国(極楽)と地獄のように極端に分極化しており、現世で善行を積めば天国に行けるが、教義に反することをすれば地獄に落ちる、ということになっている。

現世に絶望して(あるいは絶望していなくとも)、天国に行くことを強く願っている人は、途中で脱会したり、教会の教義に反することをしたりすると天国に行けなくなる。すると、今までの努力が水泡に帰すので、後戻りできなくなるのだ。別言すれば、埋没コスト(損切り)を避けたいのである。これは多くの人に共通する心理で、カルト宗教の信者に特有のものではないけれどね。

いずれにせよ、一度カルト宗教に取り憑かれると戻ってくるのは容易でないことだけは確かである。あなたが善意の人で、あまり承認欲求を満たしてくれる人がいなくて、損切りが嫌いな性分であるならば、気を付けようね。

埋没コスト、タラ・レバ妄想、正常化バイアス

戦争と埋没コスト、タラ・レバ妄想

以前、養老孟司と『年寄りは本気だ』と題する共著を出した。その中で太平洋戦争はミッドウェー海戦の敗退で、もはや勝てる見込みはなくなったのに、なぜずるずると戦争を続けたのかという疑問に対して、養老さんは、ここでやめれば、それまでかけたコストが無駄になると思ったのだろうとおっしゃられて、私も同意した。

沢山の人命と戦費を犠牲にしてここまで戦ってきたのに、ここで降参してしまったら、亡くなった人に申し訳ないし、費やした膨大な戦費も無駄になる。すなわちこれらは埋没コストになってしまうという理屈だろう。しかし、戦争を終結する決断をしなかったばかりに、その後、数百万人の犠牲者を出すことになった。

ミッドウェー海戦の敗北で白旗を上げていたら、その時点での埋没コストは発生しても、

その後に発生するであろう更なる埋没コストは発生しなかったわけだから、合理的に考えれば、即座に敗北を認めればよかったのに、と今なら多くの人は思うだろう。尤も、合理的に考えるなら、米英と戦争を始める時点で、彼我の国力の差は明瞭だったわけで、戦争を始めたのがそもそもの間違いだったのだけれどもね。

そう主張すると、それは結果論で、勝てる目もないわけじゃなかった、と反論する人もいると思うが、客観的な数値を見れば、総力戦である近現代の戦争で、国力が劣る方が勝つ見込みはほぼないと思ってよい。

真珠湾攻撃を仕掛けた１９４１年の日本のＧＤＰ（国内総生産）を１とすると、その年の米国のＧＤＰは５・４、英国のＧＤＰは１・７で、合わせて日本の７・１倍。普通に考えれば、勝てるわけがないが、軍事力は拮抗していたので、短期決戦で勝負を付ければ、勝てるかもしれないと甘い期待を抱いたのだ。

これは戦争末期の神風特攻にも言えることで、特攻機１機で敵の戦艦を撃沈することができれば、こんなに効率的な戦闘方法はないわけで、実際、敵がまさかパイロットもろとも戦艦に体当たりしてくるとは思わなかった特攻の初期には、それなりの戦果を挙げた。けれども、特攻に備えるようになってからは、戦艦に体当たりするはるか手前で撃ち落とされることが多くなった。

特攻というのは、特攻機の大半が首尾よく敵の戦艦に激突すれば、大勝利間違いないという、タラ・レバの妄想に基づく戦法で、合理的に考える限り、NGな戦いであるのは自明である。考え得る限り、自分にとって最も理想的な結果を想定して事を始めるのは、埋没コストを切れないことと並ぶ、物事が失敗する2大パターンで、この二つを同時にやったのでは敗戦は必定だったと思わざるを得ない。

生活の中の埋没コスト、タラ・レバ妄想

埋没コストを切れないというのと、タラ・レバを夢見てドツボに嵌(はま)るのは、何も戦時ばかりではなく、一般の人の日常生活においてもよくみられる傾向である。少し前まで、美味(おい)しそうな投資話につられて、全財産を失ったという話がよく話題になっていたが、話を聞いてみると、これも埋没コストを切れないので、ずるずると投資を続けた結果だということが多い。

とりあえず、1年で2倍になりますからという、投資会社の勧誘員の口車に乗せられて100万円投資したとする。半年くらいして電話がかかってきて、どうも、ちょっと具合

が悪くて、このままでは損してしまうのであと１００万追加してくれれば、今度こそ、必ず儲(もう)かりますから、と言われて、そこでまた追加の１００万円を預けてしまう人が結構いる。この人の頭の中では最初の１００万円が埋没コストになってしまうのは避けたいという心理が働いている。１００万円全額返ってこなくても、私が愚かだったのでまあ仕方がないというふうには、人はなかなか考えられないのだ。

あるいはA社の株を１００万円分買って、すぐに90万円に下がったとする。これは失敗だったと考えて、すぐ売ってしまう人は、株式投資に向いている。しかし多くの人は、いきなり10万円損するのは忍びないと思うのだろう。少し待ってみるかと思っているうちに80万円になり、70万円になりどんどん下がり、やがて40万円くらいで落ち着く。ここで売るくらいなら、もっと前に売っておくべきだったと後悔する人は多いが、多くの人は、そのうち戻るだろうと期待して売らずに、この株はいわゆる塩漬けになる。売ってしまえば、埋没コスト確定だからだ。40万円で売って別の会社の株を買えば、短期で儲かるかもしれないが、なかなか、踏ん切りがつかない。どっちがいいか分からないときは、人は今までの状態を続ける方を選ぶことが多い。

それで、暫(しばら)くすれば、A社の株価は徐々に回復してきて、５年後に１０２万円になったところで、やれやれ、損しなくてよかったよと思ってやっと売る。やれやれ売りである。その直後に株価は急騰して、150万円くらいになる、というのがよくあるパターンだ。100万円投資して5年で2万円しか儲からなくても、銀行預金よりはましだけれども、埋没コストを過度に気にする人は投資には向いていないことは確かである。

「なぜカルト宗教にはまるのか？」の項にも書いたように、カルト宗教に嵌って抜けられないのも、埋没コストを切れないからだ。沢山お祈りをして、沢山お布施をして、死後の世界が約束されているのに、ここで離脱してしまえば、今までの精神的・金銭的な努力が水泡に帰してしまうと思うから、カルトから抜けられないわけだ。

タラ・レバの妄想についてはどうだろう。一部の人は合理的に考えれば、インチキ臭い儲け話になぜやすやすと飛びつくのかというと、これは、100万円が1年ごとに倍々になったら、大金持ちだ、というバラ色の未来を夢見るからだ。頭の中で夢見ているだけなら問題はないが、実行に移すと、神風特攻と同じく悲惨になることが多い。ギャンブルで身を持ち崩す人も多くはタラ・レバ症候群の患者だと思ってよい。

例えば、万馬券を夢見て、馬券を買う人は多いが、短期的にはともかく、長い目で見れば、買えば買うほど、確率的には損をすることは必定なので、合理的に考える限り、馬券を買うのは愚の骨頂ということになる。配当率は大凡(おおよそ)75％なので、100万円投資すれば、平均25万円損することになる。それでもやめられないのは、万馬券が当たった時の快感が忘れられないのと、自分が投票した競走馬が勝てば、投資額の10倍以上の払い戻しがあるというタラ・レバの夢を見るからである。

私も若い頃（ハイセイコーが大人気だった頃）に、時々馬券を買っていたことがあったが、数年でバカバカしくなってやめた。どう考えても儲からないことが分かったからだ。私の知り合いで、何十年と馬券を買っている人がいるが、この人の話によると、自分のお気に入りの競走馬の馬券を買って競馬を見るのと、そうでないのとでは、興奮の度合いが違うそうで、1000円くらいで熱い応援ができるのは、入場料を払って映画を見るのと同じで、損したという気はしないとのこと。そういう人はギャンブルで身を持ち崩す心配はない。

正常化バイアス

埋没コスト回避とタラ・レバ妄想と並ぶ、日常生活において陥り易いもう一つの心理は正常化バイアスである。

正常化バイアスとは、自分にとって都合が悪い情報を無視して、最悪の事態を想定することを忌避する認知バイアスの一種で、災害時の逃げ遅れの原因になることが多い。最も有名な例は東日本大震災の際の大川小学校の事故である。

2011年の3月11日、石巻市立大川小学校では、地震が起きた後、全校生徒を校庭に整列させて、教師たちと地元の住民数人が避難先について議論を重ねていた。50分もの間、鳩首会談をしたのち、避難先に決まったのは北上川の土手の三角地帯という小高い場所であった。校庭のすぐ後ろには、校庭から1分ほどで登れる裏山があったのに、なぜ、標高が低い三角地帯に避難先を決めたかというと、津波はここまでは来ないはずだという正常化バイアスがかかったからである。

正常化バイアスは、今までの経験で成功体験が多いほどかかり易い。大川小のある地域は2010年のチリ地震津波で3mの大津波警報が出たにもかかわらず、実際は80cm程度の津波しか来なかったので、まさかこれほど大きな津波が来るとは予想もしていなかったということが、裏山に逃げなかった第一の原因であろう。

日常生活における正常化バイアスは、大川小の事故のように悲惨な状況を引き起こすことも稀にはあるが、通常は必ずしもネガティブな側面ばかりでなく、ポジティブな面もある。例えば、頭が痛いとか腹が痛いといった身体に異常が生じた時、この程度の痛みは過去にも何回も体験して大したことはなかったから、わざわざ病院に行って診てもらうほどのこともないと思って放置して、実際数日後に治ってしまうことが多いだろう。いちいち、病院に行っていたら時間も診察料ももったいない。

しかし、今までに経験したことがない痛みの場合、放置しておくと手遅れになることもある。正常化バイアスが吉と出るか凶と出るかは、状況次第なのである。東日本大震災の場合、様々な情報はこの地震は尋常ではないと伝えていたわけだから、自分の経験だけに頼った正常化バイアスは機能しなかったのである。まあ、自分の体の異常の場合は、自分の感覚以外は正確な情報はないのだけれども、文献等を読んで、自分に当てはまるかどうか検討するといった多少とも客観的な分析は可能なので、やばいと思った時は迷わず病院に行った方が賢い。

病院で検査してもらった結果、例えば、がんがあることが判明すると、希望的予測をするのとは逆バージョンの、手遅れであと数か月の余命だったらどうしようとか、耐えられない痛みに悩まされたらどうしようとかいった、悲観的なタラ・レバ妄想に悩まされる人も多い。しかし、この場合に限っては、何とかなるさという希望的タラ・レバ妄想に耽(ふけ)った方が長生きできると思う。

生きている限り、人は様々な妄想を抱く。死んだら妄想もヘチマもないわけで、妄想は生きている証（あかし）だと思えば、妄想に耽るのも悪くないか、という気がしないでもない。

美醜を決める基準はあるのか

生物としての人間の美醜

美醜（きれい、きたない）は何で決まるのかという問題は、プラトン以来の西洋哲学の大問題で、何らかの超越的・普遍的な根拠があるのか、それとも主観的にしか決定できないのか、をめぐって延々と不毛な論争が続いてきた。哲学者はそれが商売だから、不毛とは思わないだろうが、生物学者としては、解決不可能な問に頭を使うのは、時間の無駄だと思う他はない。

善悪や美醜に、超越的・普遍的な根拠があるというのは一神教に毒された西洋哲学の宿痾(しゅくあ)で、心を虚(むな)しくして考えれば、善悪や美醜を決める絶対的な審級がないことは自明である。そうなるといずれにしても、恣意(しい)的に決まると考えて差し支えないが、善悪の審級はここでは措(お)くとして、少なくとも、人間の顔や体の美醜に関しては、人により多少好みの違いはあるにせよ、概ね判断が重なるのはなぜだろう。個々人がそれぞれに恣意的に決めるとすれば、ある人が美しいと感じる顔を醜いと感じる人や、その真逆の人がいてもいいはずだ。

ある地域の20代の女性をなるべく沢山集めて、顔写真を撮り、すべてを合成して平均的な写真を作ると、その地域に住むほとんどの人は、この写真の人を美人だと評することが分かっている。個々人の顔に現れていた固有の形質、右目の方が少し大きいとか、上唇に黒子があるとか、顔が少し歪んでいるとかいった特徴が、すべて平均化されて、左右対称な顔が出来上がる。多くの人は左右対称な顔を美人だと評するのである。

これは、男性でも同じである。沢山の男性の写真を撮って平均した顔は、誰が見ても、そこそこのイケメンに見える。シンメトリーが美しいという普遍的な審級があり、それに則して人の顔もシンメトリックな方が美しいというのは、恐らく倒錯なのだと思う。事実は、シンメトリックな顔が美しいという判断がまずあって、その判断を敷衍して、人の顔以外の事象に拡張したのだと思う。

なぜ多くの人はシンメトリックな顔を美しいと感じるのか。人は、異性の顔かたちや体つきを見て、自身の配偶者に相応しいかどうか決める。そう断言すると、心の優しさとかお金持ちかどうかとか、判断基準は他にもいろいろあるといった反論が来ることが予想される。

現代では、ルッキズム（外見至上主義）は悪口の代名詞みたいになっていて、差別主義者と言われたくない人は、人の外見に言及するのをひたすら避ける傾向がある。しかし、こういう人でも、他の条件がほぼ同じだとして、美人とそうでない女性、あるいはイケメンとそうでない男性のどちらを性的なパートナーとして選ぶかを見れば、十中八九は前者を選ぶだろう。そしてその理由を問われれば、差別主義者ほど、美人だったから、あるいはイケメンだったから、とは答えずに、優しそうだったからとか、頼りがいがありそうだったからとか、答えるに違いない。

けれども、ルッキズムに無関心を装っている人でも、自分の顔や体の美醜にものすごく敏感なのは、美容に関する商売が一大産業になっていることからも明らかである。ルッキズムは人類に刷り込まれた相当に根深い志向に違いない。人類が１００人程度のバンド（小集団）で狩猟採集生活をしていた頃、個々人に富の蓄積はなかったし、集団内の地位が安定的に定まっているわけでもなかった。その時人々は何を基準に性的なパートナーを選ぶのが賢いかといえば、究極的には、生まれた子が健康で、どれだけ沢山子孫を残せるかどうかであろう。

もちろんどれだけ子孫を残せるかといったことは、結果的にしか分からないが、子孫を沢山残せそうなパートナーを選ぶ性質が多少とも遺伝的なものであるならば、この性質は自然選択によって集団中に広まり、反対の性質は淘汰されていったに違いない。

個々人の富や地位にさして変わりがない時代に、最も簡単な判断基準は見てくれである。顔が左右対称である人は、そうでない人に比べて、健康である確率が高いので、これを選ぶ性質は選択され、多くの人が左右対称の顔の人に魅力を感じるようになる。魅力は美しいというコトバで表現され、顔のつくりに限らず、シンメトリーは美しいという話になったのかもしれない。

美しさを感じさせるもの

左右対称性がポジティブな性質だと感じるのは、人に関してばかりではなく、野生動物と身近に接する機会が多かったであろう狩猟採集民にとっては、当然の判断であったはずだ。怪我や病気などで左右非対称な個体より、左右対称な個体の方が力強く、狩るのも大変で逃げ足も速い。あまりにも強くて手を出せない野生動物に畏敬の念を覚えたということはあり得る。ここから、シンメトリーは美しいという感性が芽生えたのかもしれない。

多くの人が、左右対称以上に美しさを感じるのは、きめ細かく、しみ・あばたがない肌であろう。こういった肌は、多くの現代人にとっては極めてポジティブに感じられる。本をただせば、持ち主の健康をある程度保証してくれるので、そこから、ツルツルで濁りやしみのない存在物を、好ましく、ひいては美しいと感じるようになったのかもしれない。壁に小さな虫が群れで止まっているのを見て、悲鳴を上げる人は多いが、昔、天然痘などの病気で発疹(ほっしん)が出た肌を見て、おぞましいと思った遠い記憶が刷り込まれているのだと思う。

同じ斑紋(はんもん)や斑点でも、リズミカルに見えたり、何らかのアルゴリズムにより作られていることを感じさせたりするものに対しては、人はあまり嫌悪感を抱かず、時には美しいと感じる。これは恐らく、病気により生ずる斑点はランダムに生じることが多いことに関係していると思う。

男性が、バストやヒップが豊満で、腰がくびれている女性を好ましく思うのも、こういった体形の女性は安産タイプで、子孫繁栄につながるため、グラマーな女性を選ぶ遺伝的な性質が選択され、一般的な好みとして集団の中にある程度定着したのであろう。もちろん、冒頭で述べたように、美醜には超越的な根拠はないので、細身の女性の方を好む人も一定数いるはずだ。グラマーな女性を選ぼうと細身の女性を選ぼうと、医療が発達した現代では、子孫の適応度にはさして違いがないということなのであろう。

文化の専制

狩猟採集生活をしていた頃と違って、近・現代は、様々な価値基準があるので、美人やイケメンの基準は多様化して、曖昧(あいまい)になってきた。美醜の基準は文化的な流行にも左右される。19世紀のフランスの貴婦人たちは、コルセットをはめて腰のくびれの美しさを競っていた。くびれがない人はきついコルセットをはめられない。中には、きついコルセットを無理やりはめるために、肋骨(ろっこつ)を折ってしまう貴婦人もいたという(まあ、ウソかもしれないけどね)。こうなると、文化の専制だ。

配偶者を選ぶにあたっても、文化の専制はある。例えば、顎髭(あごひげ)が濃い男性の方が魅力的だとする文化があったとする。顎髭が濃いか薄いかで健康状態や生存率に差はなく、自然選択が、どちらかの形質に味方することはない。しかし文化的なバイアスによって、顎髭が濃い男性の方が魅力的だという話が定着して、大半の女性が顎髭の濃い男性を配偶者として選ぶことを好むようになったとすると、そうしなかった女性は、子孫を増やす競争において不利になる。

まず、最初の前提は、顎髭が濃いか薄いかはある程度遺伝的に決まるとする。これはまあ首肯できる前提である。そこで、文化の専制を受け容れて顎髭が濃い男性を配偶者に選んだ女性に男子が生まれるとして、この男子はお父さんに似て顎髭が濃くなると推測できる。この子が長じて大人になる頃に、まだ文化の専制が続いていれば、この男子は女性にモテて、沢山の子を儲けることができる(一夫一妻制の国ではそうはいかないかもしれないけどね)。

一方、文化の専制を受け容れない天邪鬼の女性がいて、あえて、顎髭の薄い男性を配偶者に選んだとする。そこで、男子が誕生すると、この男子は顎髭が薄い大人になると推測できる。しかし、顎髭が濃い男性が素敵という文化の専制の下では、この人は女性にあまりモテずに、子供も沢山作れない。従って、顎髭が薄い方が好きだという女性の子孫も増えない。こういった話が続けば、男性の髭は徐々に濃くなっていくことはあり得る。これを進化生物学ではランナウェイ仮説という。

確かに、こういった文化の専制が何万年にもわたって続けば、顎髭が濃い男性こそ美しいという一般的な基準が作られそうだが、文化の専制が続くのはせいぜい百年単位の短時間なので、ランナウェイ仮説は人間社会では成り立たない。

結局、美醜を決める基準は、生物の生存機能に関する限り、生物学的な根拠がありそうだが、そのほかは、その時々の人々の好みによって恣意的に決まるのであろう。

コオロギ食バッシングの背後にあるもの

イナゴだって、蜂の子だって

最近コオロギ食がＳＮＳなどでバッシングされているが、コオロギは別に危険な食べ物ではないのに、なんでこんなにヒステリックにバッシングされているのだろう。国連食糧農業機関（ＦＡＯ）が２０１３年に、全世界で人類は約２０００種類の昆虫を食しており、未来の食料としての昆虫は有望であることを指摘して以来、昆虫食は人口に膾炙（かいしゃ）し始めた。

その当時から最近までは、昆虫食はどちらかというと好意的な目で見られていたと記憶する。ＦＡＯの報告書でも、昆虫類の多くはタンパク質及び良質の脂肪を多く含み、カルシウム、鉄分、亜鉛の量が豊富であると記されており、食品としての優秀さが指摘されている。

それまでは、昆虫食はどちらかというとゲテモノに見られていて、一般の人が日常的に食べるものではなく、好事家の趣味のような扱いであった。かつては、日本でも昆虫は普通に食べられていて、江戸時代の文献を見ると、イナゴ、ゲンゴロウ、ボクトウガの幼虫、蜂の子などがよく食べられていたようである。文明開化とともに、牛肉食がタブーでなくなり、食生活は大きく変化したが、地方ではまだ昆虫食は盛んで、特に長野県、山梨県、山形県、山口県、愛媛県などでは多種類の昆虫が食べられていた。

一番ポピュラーなのはイナゴで、農薬が普及するまでは、水田にごく普通に見られて大量に捕獲でき、味も悪くなかったからだと思われる。私より少し上の年代の人の中にはイナゴを食べた人も多いようで、佃煮（つくだに）が最も一般的な食べ方であった。太平洋戦争で、食料が逼迫（ひっぱく）したころは、イナゴをはじめカイコの蛹（さなぎ）などもよく食べられた。それまでは、カイコの蛹はあまり食べられなかったようであるが、戦争の末期になり、いよいよ食料が足りなくなると、カイコの蛹は一般的な食材になった。

太平洋戦争以前からよく食べられていたのはクロスズメバチの幼虫（蜂の子）で、長野県や山梨県ではスガレあるいはヘボなどと呼ばれ、捕まえた成虫に目印の綿をつけて追いかけて、地中の巣のありかを突き止めて、これを掘り起こして幼虫をとって食べることが盛んであった。これを「スガレ追い」と呼び、今でもそうやって蜂の子を食べているところがある。

それ以外にも、伝統的な昆虫食として有名なのは、天竜川のザザムシで、トビケラやカワゲラの幼生、マゴタロウムシ（ヘビトンボの幼生）などは、かつては大変人気があって、採集するには地元の漁業組合が発行する鑑札（許可証）が必要である。イナゴ、蜂の子、ザザムシはつい最近まで、缶詰にして市販されていたが、最近はあまり見ないので、製造を中止したのかもしれない。

カミキリムシの幼虫は美味として知られ、薪を割ったときに中から転がり落ちる白い幼虫は、上等なおやつとして珍重されたが、大量に取れないので、市場に出回るまでには至らなかったようだ。それに対してセミは果樹園などで大量に採集できるので、長野県の園芸試験場ではかつてセミの唐揚げの缶詰を作っていたことがあった。あまり売れなかったようで、今は作っていない。

偏見を持たれるゴキブリ

しかし、西洋の食文化が浸透するに及び、いつしか昆虫食はマイナーになり食べる人が激減した。虫は気持ち悪いという人が増え、特に女性の中には食べるどころか見るのも嫌だという極端な虫嫌い（Insect phobia）の人が現れて、この感情は家庭の中で子供に伝播するので、多くの日本人にとって虫は気持ちが悪い生き物になった。

ずいぶん前に、東京ドイツ村という、東京でもドイツでもない千葉の片田舎のテーマパークで、草彅剛さんやトリンドル玲奈さんほか10人くらいのタレントと一緒に、園内の虫を捕まえて、その虫たちに私が点数をつけて（珍しい虫は高得点、普通種は低得点）、捕らえた虫の総得点を競うという、たわいないテレビ番組に出たことがあった。クヌギの古木の洞にはゴキブリがいっぱいいるのだが、たった一人の出演者を除いて、誰もゴキブリを捕まえてこない。ただ一人山ほどゴキブリを手にもって私に見せに来たのは、トリンドル玲奈さんであった。

ウィーン生まれの彼女は、小さいときにゴキブリを見たこともなく、ゴキブリに何の偏見もないので、怖くもなければ気持ちが悪くもないのである。多くの日本人がゴキブリを嫌うのは文化的偏見だということがよくわかる。あまつさえ、かつて、巷間ではゴキブリはポリオのウイルスを伝播するといったまことしやかなうわさ話が流行っていたので（現在、この話は科学的に否定されている）、ゴキブリが蛇蝎のように嫌われるのも無理はない。

多くの日本人が都会に住むようになって、昆虫を見なくなり、たまに見る蚊とゴキブリは（最近では水洗トイレが普及してハエも少なくなった）、ほとんどエイリアンのごとく、恐怖の対象になった。昆虫と聞くだけで、生理的に嫌悪する人が多数になったのである。そういう人たちが、コオロギ食と聞いて、生理的な嫌悪感情を抱いたとしても不思議はない。

控えめに言っても現代版オカルト

そうであっても、昆虫食が別世界の出来事であれば、自分には無関係なので、こんなにヒステリックに騒がなかったかもしれないが、河野太郎（こうのたろう）がコオロギを食べているのを見て、日本政府がコオロギ食を推進して、知らない間に粉末コオロギが自分の食べる食材に紛れ込むのじゃないかという、事情を知らない人の恐怖をあおって、SNS上のコオロギ食バッシングが加速したのだろう。

ひとたび火が付くと、コオロギ食に関するネガティブな、ほとんどはデマの言説が拡大されて、燎原（りょうげん）の火のごとく拡がっていき、エビデンスに基づいた科学的な説明をしても、理解できないのか、あるいは自分の感情に抵触するものは理屈抜きに拒否したいのか、目も当てられない惨状になった。

私はかつて『科学とオカルト』（PHP新書、1999　講談社学術文庫、2007）と題する本を書いたことがある。その中で私はオカルトと科学の違いを次のように述べた。

「オカルトは公共性を持たない信念体系であり、科学は多少とも公共性を持つ信念体系である」。公共性とは、誰でもマニュアル通りのやり方をすればその理論（信念体系）に基づく結果が再現できることである。

かつて小保方晴子（おぼかたはるこ）さんのSTAP細胞が受け容れられなかったのは、誰も再現できなかったからだ。「STAP細胞はあります」と叫んだだけでは科学とは言えないのである。コオロギ食をバッシングしている人たちは、「コオロギ食は悪」という信念体系を持っているのかもしれないが（中にはただ便乗して騒いでいるだけの人もいそうだが）、その信念体系の合理性を説明する公共性を持っていないので、ただの妄想か、控えめに言っても現代版オカルトなのだ。

現代版オカルトの特徴は、ほんの僅（わず）かのエビデンスらしきものを見つけ出し、それを針小棒大に拡大して、反証事実を無視して、あたかも普遍的な事実であるかのように見せることである。例えば、つい最近のSNSに次のような意見が出ていた。「私の友達が罰ゲームでコオロギを食べされられてものすごく具合が悪くなってしまった。だから、コオロギはやっぱり毒じゃないか」。この人が嘘をついていなければ、そういうこともあるかもしれない。コオロギ食を推奨する人も「エビ・カニアレルギーの人はコオロギを食べないでください」と、繰り返し注意を喚起しているので、甲殻類アレルギーの人がコオロギを食べれば、当然そういうことは起こるかもしれないが、それはコオロギが万人にとって毒であるからではない。

蕎麦アレルギーの人が蕎麦を食べれば場合によっては死んでしまうが、だからといって、「蕎麦はやっぱり毒じゃないか」と言う人はいない。グルテンアレルギーもしかり、プロポリスアレルギーもしかり、である。コオロギ食バッシングにはそういう類の話が多すぎる。遺伝子組み換えで作っているコオロギには毒が入っていて、食べれば暫くすると死ぬので、人口を減らそうというDS（Deep State 闇の政府）の陰謀だっていうのもあったな。それを確かめるためには、コオロギから毒を抽出して、その成分を明らかにする必要があるが、そういった話は全く聞こえてこない。デマを流している人はコオロギ食の恐怖を煽れれば、事の真偽はどうでもいいのだろうが、そこまでしてなんでコオロギバッシングをするのか不思議だ。

ちなみに、現在日本に限らず、市場に出回っているコオロギは遺伝子組み換えで作られたものではない。高タンパクのコオロギを作るために遺伝子組み換えの研究をしているのは事実であるけれどね。消費者の中には遺伝子組み換えの食品は危険という漠然とした思い込みがあるようだが、私見によれば、遺伝子組み換えの食品が危険というのははっきり言って嘘だと思う。アメリカやオーストラリアから移入している抗生物質入りの肉のほうがはるかに危険だろう。ともあれ、普通の人にとっては負のイメージが強い、遺伝子組み換えという言葉をかぶせて、偽りの情報操作をしてまで、コオロギバッシングをするというのは相当悪質だ。

SNSというおもちゃ

コオロギ食に政府から6兆円の公金が支出されているという話もあった。これを真に受けて、コオロギの養殖につぎ込む税金をもっと有意義な事業に回せ、というSNS投稿も沢山あったが、国はコオロギの養殖事業に今のところ1円も補助金を出していない。そもそも、農林水産関連予算（2022年度）は2兆2777億円で、コオロギの養殖事業に6兆円もつぎ込めるわけがないだろう。わかっていてそう言っているとしたら、これも相当悪質だと思う。コオロギの養殖にかまけてないで自給率を上げろという意見も結構見受けるが、国はコオロギの養殖に税金を全くつぎ込んでいないので、自給率を上げる話をコオロギの養殖に絡めるのは全くの筋違いである。

ところで、6兆円という話がどこから出たかというと、「SDGsアクションプラン2021」というのがあって、SDGs関連の様々な事業を取りまとめた予算総額が6・5兆円だったので、この金額をそのままコオロギ食関連として流用したらしい。しかし、このプランの中にはコオロギ食はおろか昆虫食も入っていない。今のところ昆虫食とSDGsは無関係なのである。

人々のナイーブな恐怖を煽って、エビデンスが全くない信念体系を垂れ流すのは現代版オカルトの特徴である。科学技術が高度になりすぎて、一般の人には、科学理論を理解することも、その当否を確かめるエビデンス（の適否）も理解不能になって、好悪の感情だけで、判断する人が増えてきたのだろう。

かつては公に意見を表明するのはかなりの覚悟が必要だった。エビデンスに反する意見を述べて、反論されると恥ずかしいという思いがあった。しかし、匿名でSNS上で発信できる今は、エビデンスなど無視して発信しても、同じ意見を表明する人が沢山いるので、数を頼みにして恥を飛ばすことができるようになった。小谷野敦（こやのあつし）の秀逸な物言いを借りれば、ネット社会の最大の問題は「馬鹿が意見を言うようになった」ことである。その基底には、現代に生きる人の言いようのない不安と恐怖が横たわっている。

ほとんどの人は現代科学を理解できないので、理論の当否についてエビデンスを読み解いて自分で確かめることができない。不安を抑えるためには、自分にとって最も安心できる言説を信じて生きるのが最も気持ちがいい生き方なのだろう。かくして、コオロギ食が嫌いな人は、コオロギ食バッシングの言説に加担して留飲を下げることになる。

現代科学が進歩しすぎたおかげで、人々はＳＮＳというおもちゃを駆使して、その感性はだんだん中世の迷信社会に近づいているのである。

現代版オカルトのデマの構造

中・近世の迷信と現代版オカルト

前項では、科学が発達してきて、ごく一部の専門家しか、ある科学理論の当否を判断できなくなった現代社会では、少なからぬ人がＳＮＳというおもちゃを駆使して、その感性はだんだん中世の迷信社会に近づいていると述べたが、中・近世の迷信と現代社会のオカルトは、エビデンスも再現可能性もないという点では同じだが、社会的な存在様式が異なるのだ。

中・近世の迷信は、信じるか信じないかはともかくとして、地域社会のほぼ全員に共有されていた言説であり、長い伝承性を持つが、現代のオカルトの多くは、ＳＮＳ上で、一部の人たちに一瞬で広がり、線香花火のように消えていくことが多い。

また、中・近世の迷信には科学的エビデンスという概念はもちろん存在しないが、現代のオカルトは、科学的なエビデンスらしきものやごく常識的な主張が言説の一部に含まれていることが多く、なんとなく正しそうに見えるように装っているので、論理的思考力がない人が騙(だま)され易くできている。

これらは、現代版オカルトにみられるデマの特徴である。この項目では前項に続きコオロギ食バッシングと、さらに新型コロナワクチン接種に対するバッシングについて、いくつかの事例を紹介したい。

コオロギを食って死んだ人はいないが（日本では聞かないが、外国では、甲殻類アレルギーの人で、コオロギを食って死んだ人がいるかもしれない）、新型コロナのワクチンを打って死んだ人がいるという違いはあるが、デマの構造はよく似ている。

常識は「いいね」に勝てないのか

まず、コオロギ食バッシングについて、いくつかの事例をこの観点から説明したい。

最初に紹介するのは、日本では伝統的にイナゴは食べられていたが、コオロギを食べる習慣はなかったので、コオロギを食べると不都合が起きるのだという言説である。確かに日本では、イナゴは伝統食として、日本各地でよく食べられていたし、コオロギはあまり食べられていなかったのは事実である。オカルトのオカルトたる所以(ゆえん)は、ここから非論理的な飛躍をして、日本人が食べなかったのは、コオロギは日本人には毒だからだ、あるいは、日本人はコオロギを分解する消化酵素を持っていないからだ、という結論にもっていったことだ。

日本人は伝統的にコオロギをあまり食べなかったというのは事実であるが、右記の言説で正しいのはそこだけで、後は全くエビデンスがないホラ話である。生物学の知識がほんの僅かでもあれば、人体の構造と機能は、基本的に人類共通なのは、わかりそうなもので、コオロギを消化する酵素を日本人だけ持っていないなんてありえないし、東南アジアで、常食されているコオロギが日本人にだけ毒ということもあり得ないのは、当たり前だと思うのだけれども、常識はSNSで「いいね」が付く快感には勝てないのだろうか。

付言すれば、かつて、日本ではコオロギが食べられていなかったというのもウソで、武田徳雄が1931年に出版した論考（信州安曇野地方に於ける食用昆虫『博物同志会会報』）によれば、コオロギは山形県や長野県では、よく食べられていたようだ。長野県では、焼いて食べるほか、コオロギの脚をすり潰して味噌と合わせたコオロギ味噌も作られていたという。

コオロギ食バッシングに係るデマ言説の事例をあと2件挙げたい。いずれも、メインの主張はごく常識的なものなのだが、その主張を裏付ける事実に根本的な誤謬があって、メインの主張が破綻するというものだ。

最初の事例は、原材料の表示を正確にしないと、知らないうちにコオロギを食べさせられる、という主張で、これは真に尤もなのだが、あたかも、コオロギを使った食品の原材料名表示にコオロギを入れなくてもいいかのような言説で、これは意図的な誤解である。

私が原材料名は必ず記されるはずだとの指摘をした際のレスポンスの一つは、名前はドライクリケット、グリラスパウダー、シートリア、サーキュラーフードとどんどん変えることができるので、何が入っているかわからなくなるというものであった。これは、食品表示法を理解していないか、意図的に誤解して、コオロギを食いたくない人の嫌悪を煽る言説である。上記した四つの名前が実際にあるかどうかは知らないが、あるとしても商品の名前で、原材料名ではないので、これらの名前を原材料として表示すると、食品表示法違反になる。原材料名をコオロギ粉末もしくはコオロギパウダーとする代わりに、グリラスパウダーと表示すると販売できないのだから、企業がそんな表示をするはずがない。

もう一つの事例は、徳島県の高校で、給食にコオロギパウダーを使ったカボチャコロッケ、コオロギエキスを使った大学イモが出されたというニュースを受けて、給食という形で全員にコオロギを食べさせるのは問題だ、との意見に賛同する人たちが、高校をバッシングしたという事件である。本人の意思を考慮せずに、給食という形で全員にコオロギを食べさせるのは問題だ、という意見は真に正論である。しかし、事実をよく調べてみると、これは生徒たちが、コオロギの食品化を推進しているグリラス（徳島大学発のベンチャー企業）の協力を受けて、自主的にコオロギ入りの食品を作り、甲殻類アレルギーの人には注意を促して、生徒や職員の希望者に試食してもらったという話で、試食者には概ね好評だったようである。

バッシングされるような話では全くなく、食べたい人だけが食べたのだから何の問題もないのである。これも、給食というコトバのイメージ（全員が食べる）を利用して、正しい情報を伝えずに、コオロギ食への嫌悪を煽る言説という点では右記の事例と同型である。高校をバッシングした人たちに聞いてみたいのだが、通常の給食でも、食べたくない食材が入っていることは多々あり、私としては、食べたくない人たちに無理やり食べさせるのは問題だと思うが、多くの学校では、恐らく好き嫌いしないで食べなさいという指導をするに違いない。それに対してはどういう意見をお持ちなのだろうか。

コオロギを食べたくない人に無理やりコオロギを食べさせるのと、肉を食いたくない人に無理やり肉を食べさせるのは、どちらも本人の意思を尊重しない強制だと思うが、前者は許されず、後者は許されるというのは、道徳的にも、倫理的にも矛盾している。コオロギ食バッシングの人たちを見ていると、どうやら、そういう理屈が理解できないようである。

自分の嗜好のみを絶対視して、他の選択肢を許さない人が権力を握ると、独裁者になる。様々な考えを持つ人たちが平和に共存するためには、多様性の尊重と寛容の精神が重要なのだけれども、世の中がどんどん反対の方向に向かっているようで、人類もそろそろ、終焉に近づいているような気がするね。

閑話休題、コオロギ食バッシングは右記したように、あるいは前項でも書いたように、科学的にも食の歴史的にもエビデンスのない話ばかりなので、ヒステリックに叫ぶ以外に宣伝のしようがないという悲惨な状況で、いずれ終息すると思う。「飢え死にしても虫など食わない」という威勢のいい意見を発信している人もいるが、目の前に昆虫食しかなく、飢えて死ぬか、虫を食って生き延びるかの選択を迫られたら、99％以上の人は後者を選ぶと思う。全財産を賭けてもいい。

ワクチンのバッシングは少し複雑

次は、新型コロナワクチンバッシングの話である。SNSを見ていると、コオロギ食をバッシングしている人と、新型コロナワクチンをバッシングしている人は重なっていることが多いので、FAO（国連食糧農業機関）やWHO（世界保健機関）といった世界的権威が推進しようという政策は何であれ気に入らない人たちが一定数いるということが分かるが、新型コロナワクチンバッシングの話は、コオロギ食バッシングの話と違って事情が段違いに複雑だ。

FAOの昆虫食推進のキャンペーンには情報の隠蔽（いんぺい）や操作は認められないが、新型コロナやワクチンについては、公的権力による情報操作や、情報隠蔽がすさまじく、それを暴いて正しい情報を知らせようとの言説と、それに便乗したデマのワクチンバッシングという三つ巴（どもえ）の情報戦が繰り広げられて、泥沼のような話になっているので、何が正しく何がデマかという話が、簡単には分かりづらい。

COVID-19（新型コロナウイルス感染症）は事の最初からして、情報の隠蔽がすさまじかったと言ってよいと思う。まず、このウイルスは、中国の武漢（ぶかん）から発生したのだが、当初、中国当局はヒト-ヒト感染の可能性はないと言っており、WHOもこれに追従した。

さらにこのウイルスは、自然に発生したのではなく、武漢の研究所で人工的に作られて、（恐らく非意図的に）流出した可能性が高いことが現時点では分かっているが、中国はもちろん中国の肩を持つＷＨＯもそれを否定した。

ＣＯＶＩＤ‐19が日本に上陸してからは、日本政府はいたずらに感染の恐怖を煽り、あまり役に立たない緊急事態宣言が繰り返されて、ほんの僅かでもウイルスを取り込めば感染するかのような言説を流した。さらには、ワクチンが万能のような情報操作をして、ワクチンの危険性については知らんふりした、といった様々なペテンを繰り返したために、その反動として、極端な反ワクチンのデマがＳＮＳ上に流れて、人々は何を信用していいのか分からなくなったのである。

現代版オカルトのデマには、権力による情報操作が深く関与しているわけだ。紙幅が尽きてきたので、詳しくは次回。

ｍＲＮＡワクチンと現代版オカルト

情報に対する態度の三つの類型

コオロギ食バッシングよりはるかに厄介な現代版オカルトは、反ワクチン原理主義とでもいうべき闇雲なワクチンバッシングである。

これは、コオロギ食バッシングと異なり、権威筋（政府やマスコミ）が、相当バイアスがかかった情報を流し続けた反動で起きた面が強く、この手の現代版オカルトの元凶は、情報を操作して、国民を自分たちが主導する政策に誘導しようとする、政権の思惑だといってよいと思う。

建前は民主主義の国では、国民の健康と安全のためにという錦(にしき)の御旗(みはた)を立てて、科学的なエビデンスに基づいて（基づくふりをして）、政策を遂行するのが最も一般的なやり方だろう。政府が公表するエビデンスには正しいものといかがわしいものがあり、政権や政権が擁護するグローバル・キャピタリズムにとって有利な正しい情報は、大々的にマスコミによって流されるが、不利な情報は、たとえ正しくとも隠蔽気味になることが多い。

こういう状況を前にして、国民のとる態度はいくつかの類型に分けられる。1. マスコミの流す情報を素直に受け容れて、自分ではほとんど何も考えない人。2. 自分の感性や嗜好に反する情報をハナから排除して、自分の気に入る情報だけを選択的に受け容れる人。3. 様々な情報を自分なりに判断して、最も合理的だと思われる選択をしたり、最も合理的だと思われる言説を擁護したりして、エビデンスに基づいて自分の行動や意見を変えることができる人。

圧倒的な多数派は1で、次に2、3はむしろ少数派であろう。現代版オカルトに嵌る人は圧倒的に2のタイプの人が多い。一番よく見られるのは、情報の真偽を全く確かめることなく、自分が気に入らない情報を排除して、気に入った情報だけを受け容れる人である。ここで、気に入った情報のほとんどが偽で、気に入らない情報のほとんどが真という人は、典型的な現代版オカルトの信者になる。

一例をあげれば、前項と前々項に書いた、コオロギ食バッシングに精を出している人が気に入っている「コオロギには毒が入っている」とか、「コオロギ食に6兆円の補助金が出ている」とかの情報は偽である。反対にコオロギ食をバッシングしている人が気に入らない、「コオロギは危険な食材ではなく甲殻類アレルギーを持っていない人が食べても何の問題もない」という情報は真である。現代版オカルトの特徴は、例えば、コオロギを食べて具合が悪くなった人がいるという、その限りでは正しい情報を拡大解釈して、だからコオロギには毒があるという結論を導き出すところにある。

理解に苦しむ決定

新型コロナウイルスに係る現代版オカルトは、多少事情が複雑である。当初、中国からやってきた武漢株はかなり強毒なウイルスであった。中にはウイルスの存在を認めず、病気に罹(かか)った人と一緒にパーティをしても大丈夫だと信じた猛者(もさ)もいたようだが（ガセネタだという話もある）、少なくとも日本では、ほとんどの人はCOVID‐19が新型コロナウイルスで起こるという当局の説明に疑問を抱かず、政府が行う感染症対策が正しいものだと信じていたと思う。

2020年3月29日に志村(しむら)けんさんがCOVID‐19で亡くなって、多くの人々は恐怖に慄(おのの)き、政府が唱道する感染症対策を律義に守って、マスコミも反対意見を流さなかった。

政府は、一斉休校や緊急事態宣言で国民の恐怖を煽ったが、実際の感染予防にはほとんど役に立たなかった。いたずらに経済が疲弊しただけに終わったことは、例えば宮沢孝幸『ウイルス学者の絶望』(宝島社新書)に詳しい。

日本で2020年の12月31日までにCOVID‐19で亡くなった人は厚生労働省の発表によれば3414人だったので、死者数からはそれほど恐ろしい感染症ではなかったのだ。ちなみに前年の2019年のインフルエンザによる死者は3575人である。なんでこれほどまでして国民に不便をかけることを強いたのかしらね。穿って考えれば、COVID‐19の流行を奇貨として、なんであれ、政権の政策に逆らえない雰囲気を作りたかったのだろう。

2022年になってオミクロン株が流行りだしたころから、感染者数も死者数もうなぎ上りで、2023年5月上旬の時点で、感染者数は約3400万人、死者数は約7万5000人である。2022年だけで死者数は約5万人を数える。ただし、死者の9割近くは70代以上である。政府はワクチン以外にもはや打つ手はなくなったようで、死者数が増えだしてから、感染症法の位置づけを「2類」から「5類」に引き下げるという理解に苦しむ決定をした。もっと早く「5類」にしておけばよかったと思うけど、「2類」にしておいたほうが儲かる医療関係者が沢山いたのだろうね。

針小棒大と出鱈目

少し時間が前後するが、2021年の春から、政府は新型コロナウイルスのワクチンを打つという政策を始めた。周知のようにこのワクチンはmRNAワクチンで、専門家の中には、mRNAワクチンの危険性を警告していた人もいたが、そういった情報は一般人には全く知らされずに、政府は闇雲にワクチンの接種奨励に乗り出した。私もワクチンを2回打った口なので、あまり偉そうなことは言えないのだけれども、この時点で流行っていたのは、武漢株が多少変異したアルファ株で、武漢株に基づいて製造したmRNAワクチンは有効であろうと思っていたのだ。

実際、第4波（2021年3月から6月）のアルファ株、第5波（2021年7月から12月）のデルタ株辺りまではスパイクタンパクも武漢株からそれほど変異しておらず、多少は有効だったのではないかと思っている。2022年になってオミクロン株が流行りだした。オミクロン株はスパイクタンパクの変異がすさまじく、武漢株で作ったスパイクタンパクに対応する抗体はもはや効かないのではないか、と私は思い始めた。

実際オミクロン株が流行りだしてから、ワクチンを打っても感染する事例が増えだした。しかし政府は正確な情報をあまり真面目に公表せず、一般人にはそのことがほとんど知らされなかった。

またこのころから、ワクチンを打って亡くなる人やワクチンの後遺症で苦しむ人の存在が、マイナーなメディアでも取り上げられるようになり、ワクチンを打ってひどい目に遭った人やその関係者は、政府・厚労省に大きな不信感を抱くようになった。こういった不都合が起こることを裏付ける科学的なエビデンスを提供してくれる科学者も多くなり、一般の人も専門論文を読まなくともアクセスが可能になった。

その結果、先ほどの類型1の人で、自分や知人がワクチンを打って不都合を来(きた)した人は、マスコミを無闇に信じる1の類型から離脱し始め、一部の人は類型2に、一部の人は類型3に移っていったのである。類型3に移っていった人はまともな人で、自分なりに情報を取捨選択して、科学的エビデンスに基づいた判断を下すようになったと思われる。

問題は類型2に移っていった人である。転向者は過激になり易いという例にもれず、この人たちの中から反ワクチン原理主義に走る人が出てきた。自分はワクチンでひどい目に遭っていなくとも、感情的に同調する人もこの言説に便乗して、科学的エビデンスを無視した情報を流し始めた。ある事実を針小棒大に拡大解釈して、結果的に出鱈目に行き着くという、現代版オカルトの特徴はここでも健在（?）である。

例えば、ワクチンを打って亡くなった人がいるという正しい事実から、mRNAワクチンを打つと5年以内に全員死ぬ、という何の根拠もない説を唱えるというのは、最も典型的で悪質な例である。この説のキモは1年以内でも100年以内でもなく、5年という微妙な時間設定にある。1年以内という時間設定だと、ワクチンを打って1年以上経っても生きている人のほうがはるかに多いので、インチキだということがすぐにばれるし、100年も経てばワクチンを打とうが打つまいが大抵の人は亡くなるので、誰も恐怖を抱かない。5年という時間設定で人々の恐怖を煽るというのが、現代版オカルトのオカルトたる所以である。

あるいは、ワクチンの中にはチップが仕込まれていて電磁波5Gに繋がり行動を監視される。あるいは、ワクチンは世界人口を減らそうとするDS（闇の帝国）の陰謀だ。あるいはワクチンは、mRNAワクチンに限らず、すべて無益なので打たないほうがいいといったものまで、インチキな説を挙げればきりがない。

コオロギ食バッシングと違って、反ワクチン原理主義が根強いのは、実際にワクチンを打って亡くなった人が沢山いることに加え、ワクチン推進派の政権が正しい情報を公開せずに、接種推進に不利な情報を隠蔽して、反知性主義に走ったことが大きいと思う。いわば、政権自身が現代版オカルトに嵌っているともいえるわけで、それに対抗する形で、反ワクチン原理主義的なオカルトが現れたのだろう。

ワクチン推進派は、極端な反ワクチン原理主義者の言説を盾に、反ワクチンはデマだという情報を流しているが、ワクチン推進派の情報も半分くらいはデマなので、一般の人は何を信じていいかわからなくなっていると思う。こうなっている最大の元凶は、膨大な情報を握っているにもかかわらず、自分たちに有利な情報しか流さない、権力寄りのワクチン推進派の態度にあることは間違いない。

権力が現代版オカルトに嵌っているもう一つの例は人為的地球温暖化である。これは、mRNAワクチンに係るオカルトとはまた違った様相を呈しているが、その話は次項で。

人為的地球温暖化という最悪・最強の現代版オカルト

事の最初から

20世紀後半から現在に至るまでの最悪の現代版オカルトが、人為的地球温暖化論であることは間違いない。CO_2の排出によって起こる人為的地球温暖化が、人類の存亡を左右する危機をもたらすという言説は、他の現代版オカルトと同じ針小棒大な与太話なのだけれども、権力とマスコミの大々的な宣伝により、多くの無知な人々は、人為的地球温暖化を絶対の真理と信じ込まされているようだ。

しかし、科学的エビデンスは人為的地球温暖化論が怪しげな説であることを示している。例えば、渡辺正(わたなべただし)は膨大なデータを基にCO_2元凶説を論駁(ろんばく)している。『「地球温暖化」狂騒曲 社会を壊す空騒ぎ』(丸善出版、2018)あるいは『「気候変動・脱炭素」14のウソ』(丸善出版、2022)などを参照されたい。私も『環境問題のウソ』(ちくまプリマー新書、

２００６)、『新しい環境問題の教科書』(新潮文庫、２０１０)、『ほんとうの環境白書』(角川学芸出版、２０１３)、『環境問題の嘘　令和版』(ＭｄＮ新書、２０２０)、『ＳＤＧｓの大嘘』(宝島社新書、２０２２)、『専門家の大罪　ウソの情報が蔓延する日本の病巣』(扶桑社新書、２０２２)などで、繰り返し、人為的地球温暖化論のいかがわしさを公表しているが、衆寡敵せず、人為的地球温暖化を信じているオカルト信者の心には届かない。

人為的温暖化論は科学的エビデンスを捻じ曲げて作った砂上の楼閣で、事の最初からして、科学というより政治的プロパガンダであった。１９６０年代後半から１９８０年ごろまで、気候学者は地球寒冷化を警告していた。日本では気象学者の根本順吉が１９７３年に『氷河期へ向う地球』を出版して、俄かに寒冷化の恐怖が人口に膾炙して、１９８０年代初頭まで、20冊くらいの寒冷化警告本が出版されている。

歴史的にみても、温暖化は豊作をもたらし、寒冷化は飢饉を引き起こすので、地球寒冷化が恐ろしいことは間違いない。実際、１９４０年から１９７０年の30年間に地球の温度は０・２℃下がっている。しかし、１９７０年から地球の温度は反転して２０００年まで上昇を続けた。付言すれば２０００年以降、地球の温度はあまり変わっていない。

１９８０年代に入り地球の温度の上昇が顕著になるに及び、気候学者は一転して、寒冷化恐怖論から、温暖化恐怖論に鞍替(くらが)えして、これに原発を推進したい政治勢力が呼応して、政治的・経済的マジョリティは、一挙に人為的地球温暖化論に靡(なび)いていった。

IPCCへの政治的バイアス

大きな転機となったのは、1988年6月23日に米国上院の公聴会で、米国航空宇宙局のジェイムズ・ハンセンが「最近の異常気象、とりわけ暑い気象が地球温暖化と関係していることは99%正しい」と証言したことだ。まともな科学者なら、99%正しいと発言した時点で信用できないと思うけれども、1986年4月26日に起きたチェルノブイリの原発事故で、原発の推進がままならなくなっていた英国の首相のサッチャーは、いち早くこの言説に飛び乗ったのである。

公聴会の開催日は、過去の気象から最高気温が記録されそうな日を選び、当日は委員会の冷房が切られていて、猛暑を印象付けようとしたようだ。事の最初から怪しいのだ。この年の11月には早くもIPCC(気候変動に関する政府間パネル)が設立されたが、サッチャーの強い後押しがなければこんなにも早く設立されなかっただろう。IPCCは、CO_2を排出して地球温暖化の恐怖に晒(さら)されるくらいなら、CO_2を排出しない原発を推進したほうが、人類の未来にとってベターであるとの政治的プロパガンダのために設立されたわけだ。もっとも近年は、原発よりも再生可能エネルギーを推進したいEU（欧州連合）の意向を反映して、原発の代わりに再エネでカーボンニュートラルを目指せといった論調になっているけれどね。

サッチャーは1989年11月にニューヨークで開かれた国連総会のスピーチで、CO_2を削減して人為的地球温暖化を阻止すべきだと主張した。その心は原発を推進したい。IPCCは、だから原発廃止に熱心ではないし、地球の温度変動はCO_2より自然要因のほうが大きいというエビデンスが沢山出てきても、報告書ではその手のエビデンスはすべてネグレクトされるようになっているのだ。IPCCは学会のような環境科学者の中立的な団体ではなく、政治的なバイアスがかかった、人為的温暖化原理教ともいうべき宗教団体だといったほうが事実に近い。

サッチャーの偉かったところは、2003年ごろから人為的温暖化懐疑論者に転向して、欧州で次々に導入される「高コストで経済的ダメージの大きいCO_2抑制策は愚策だ」と嘆くようになったことだ。サッチャーは、「地球寒冷化のほうが地球温暖化よりもはるかに害が大きく、科学が歪曲（わいきょく）され、反資本主義、左翼政治アジェンダに使われることは、人類の進歩と繁栄にとって深刻な脅威である」と考えていたという。

基本的にこの認識は正しいと思うが、一つだけ異論をはさむと、このころから、人為的温暖化は資本システムに組み込まれ始め、環境ビジネスで儲けようとする企業や、環境にやさしいと標榜(ひょうぼう)する政策を掲げて、選挙の票を稼ぐ政治家にとっては、なくてはならないアイテムになったのである。科学的にはどんなにいかがわしくとも、グローバル・キャピタリズムにとってすら、もはや手放すことができなくなってしまったのだ。

日本ではあまり取り上げられなかったが、クライメートゲート事件（２００９年、英国イーストアングリア大学の気候研究ユニットのコンピュータから大量のメールを含む文書が流出して、ＩＰＣＣに大きく関与した気候学者たちの捏造(ねつぞう)が明るみに出た事件）は、ＩＰＣＣに集っている気候学者たちが、データを細工して、インチキな「ホッケースティック」グラフ（20世紀後半になって地球の気温が急激に上昇したように見せかけるグラフ）を作ったことを白日の下に晒した。

そのころから懐疑論者は世界的に増加して、まともにものを考えることができる人は、人為的地球温暖化は現代版オカルトの一種であることに気づき始めたが、軌道に乗り始めた環境ビジネス（再エネと称する、補助金＝税金頼みの太陽光発電や風力発電など）をつぶされたくない人々はあれこれと手をまわして、CO_2悪玉説を死守すべく、最近では、グレタ・トゥーンベリという若い女性の環境活動家を持ち上げたり、ＳＤＧｓという標語を作ったりして、CO_2悪玉説の宣伝に余念がない。

環境ビジネスの愚

環境ビジネスは、それで金儲けをしようとするあさましい人にとっては美味しい商売に違いないが、山野を切り開いて広大な土地に太陽光パネルを設置するのは、どう考えても環境破壊に他ならない。渡辺正の先の著書によれば、日本では官民合わせて毎年３兆円の温暖化対策費が使われているという。このお金をもっと別のところに使えば、国民ももう少し幸せになり、経済も少しは上向くだろうに。補助金頼りのビジネスは、一部の人が税金を横取りするという話だから、全体としての経済は活性化しないのだ。

経済活動が活性化すれば、それに呼応してCO_2が排出されるのは不可避で、景気が悪くなれば排出量は減る。カーボンニュートラルを目指す政策がいくら導入されたところで、経済活動が活発になればCO_2は必ず排出される（例えば、太陽光発電はメインの発電プロセスこそカーボンフリーだが、材料の金属シリコンの製造や輸送、パネルの設置、保守、解体・

廃棄などの際にCO_2が排出される）。現実にCO_2濃度は上昇し続けているわけで、カーボンニュートラル政策は、CO_2の濃度を下げることはできないのだ。

1970年頃から地球の温度は上昇気味で、これは農業には好都合で、実際作物の生産量は上昇している。クールアースというコトバが流行っていたけれども、カーボンニュートラル政策の結果、人為的に気温が下げられるとすると、冷害によって農業が打撃を受けて、気温を下げた原因を作った政府や企業に非難が殺到して、訴訟沙汰になるだろう。別言すれば、カーボンニュートラル政策には何の実効性もないので、推進可能なのだ。

CO_2悪玉説の背後にあるのは、化石燃料に乏しいEUの、世界のエネルギー政策のヘゲモニー（主導権）を握りたいとの願望である。IPCCはそのための装置みたいなものだ。地球温暖化の恐怖を煽って、自分たちに有利なカーボンフリー政策に世界世論を誘導したい。そのためにIPCCやその追随者が使ったのはコンピュータ・シミュレーションによる未来の気温予測である。シミュレーションは実証ではなく、予測に過ぎないので、パラメータを少しいじれば、望みの結果を出すことが可能なのだ。20世紀末から100以上ものシミュレーション予測が報告されているが、実際の気温上昇は予測をはるかに下回る。人為的地球温暖化論は実証不能という点に関しても、現代版オカルトと呼ぶに相応しい。

政府が主導する現代版オカルトの最も恐ろしいところは、教育によって人々を洗脳していることだ。日本では小学校あるいは幼稚園の頃から、温暖化は人類にとって脅威なので、CO_2排出削減に努めようと教育されている。あまつさえ、ＮＨＫや朝日新聞といった大メディアが人為的温暖化論を真理のごとく取り上げるものだから、この現代版オカルトは、もはや日本国の国教になっている。

以前に取り上げたコオロギ食バッシングや、反ワクチンキャンペーンは、一部の人だけが信じているオカルトだったけれども、人為的地球温暖化は国を挙げてのオカルトなのだ。なんともすごい世の中になったものだと思う。

Ⅳ　この〝世界〟を動かすものは

ウクライナ紛争と穀物価格の高騰

考えられる最悪の状況は

ウクライナ紛争は杳(よう)として終結の兆しが見えない。ロシアはウクライナの首都キーウの奪取に失敗し、東部に戦力を集中しているが、ウクライナの抵抗も激しく、一進一退の攻防が続いていると報じられている。ロシアが攻勢を強めるといった報道があるたびに、西側からウクライナに強力な武器が供給され、この紛争はロシア対西側の戦闘といった様相を呈しており、西側は面子(めんつ)にかけてもロシアの一方的な勝利を許さないだろう。

戦闘を続けるには戦費が必要だが、ロシアは、欧米諸国の経済制裁によって、経済的に追い込まれており、長期的には戦争を継続できなくなると思われるが、それが1年先か2年先か5年先かは分からない。紛争前にロシアにいた優秀な人材、例えばIT技術者などの科学者、起業家、資産家はすでにロシアを離れている。独立系ロシアメディア「ノーバヤ・ガゼータ・ヨーロッパ」が2022年5月6日に報じたところによると、2022年1〜3月に388万人がロシアから出国したという。現在、この数はもっと大きくなっているだろう。プーチンに批判的な官僚や軍人は左遷されたか、国外に脱出したか、しているだろうから、政権中枢に残っているのはプーチンに忠誠を誓う以外に生き延びる術がないと思っている無能な人々だけだと思う。

西側が経済制裁を始めた直後は、ロシアの人々は日々の生活に困って、プーチンの始めた戦争を怨んで、プーチンは遠からず失脚して、新しい政権とウクライナの間で停戦が成立して紛争は終結するだろう、との希望的観測が一部で流れていた。

プーチンが失脚した後の新生ロシアとしては、紛争の原因を一人プーチンに負わせて、和解交渉が成立すれば、紛争によるロシアのダメージを最小限に抑えられるし、惨めに敗北するよりも、はるかにロシア全体としての面子も保てる。西側としてもプーチンが失脚して、とりあえず紛争が収まれば、ロシアを経済制裁する必要もなくなる。天然ガスや原油などの化石エネルギーをロシアから自由に輸入することもできるようになり、双方にとってウィンウィンになるというシナリオだ。

しかし、このシナリオが成立するのは、プーチンのやり方を快く思わない有能な人々が、政権の中枢に残っている限りにおいてなのだ。恐らく今は状況が異なっていて、たとえプーチンが死んでも、残った政権中枢の人々は、プーチンに洗脳されている（というよりもプーチンに賛成して戦争路線を擁護していた自分の意見を変えることが難しい）ので、プーチンの敷いた戦争路線をクラッシュするまで走るしか選択肢がないという状況だと思う。太平洋戦争の半ばに、ミッドウェー海戦で大敗北を喫した後の日本みたいなものだ。

考えられる最悪の状況は、プーチンがこのままトップに留（とど）まり続け、戦局はロシアにとってじり貧になり、やけくそになって核兵器を使用するという事態になることだろう。実際には、このまま和平に応じないと核兵器を使うぞ、という脅しをかけるだけで、使うことはないと思うけど、ウクライナや西側が挑発すれば、プーチンが怒って核のボタンを押すことがないとは言えない。そうなっても世界は終わらないだろうが、ロシアは終わってしまう。

幸か不幸か、ロシアはエネルギーと食料を国民に供給することだけはできるし、紛争前に比べれば減ったとはいえ、まだ原油や天然ガスをヨーロッパに売っており、インドなども原油を買い付けているので、暫（しばら）くは戦費が底をつくことはない。国民の生活は苦しくなったとはいえ、もともと貧乏な人たちは、暫くは耐え忍ぶことができると思う。しかし、このまま戦争を続ければ続けるほど、国際的な経済制裁は厳しくなり、戦死者は増え続け、輸入に頼っていた生活用品や贅沢品は枯渇して、国民の間には厭戦気分が広がり、いずれ戦争の継続はあきらめざるを得なくなり、和平交渉をするにしても、ロシアにとって極めて不利な条件にならざるを得ないだろう。

紛争が長引けば長引くほど、紛争が終結した後のロシアは、より悲惨になっていることは間違いない。指導者は権威主義的で国民は洗脳されている人ばかりといった、大きな北朝鮮のような国になっているかもしれない。敗北を認めて、西側のコントロール下に入れば、建前上は民主主義的な国になるということもあり得るが、経済の発展に必要な人材は払底しているので、立て直すのは容易ではなく、最貧国から脱出するには時間がかかるだろう。一人の愚かな指導者のために、国がここまで悲惨になるということが、まさか21世紀の世界で起こるとはね。日本も気を付けた方がいいよ。もう手遅れかもしれないけれどもね。

黒海を巡る戦い

ところで、紛争が始まって以来、ロシアからのエネルギーの供給ばかりでなく、ロシアやウクライナからの穀物の供給も滞っているので、世界全体におけるエネルギーの価格と穀物の価格は高騰している。アフリカでは、ウクライナ侵攻を受け、小麦の価格が45％も上昇しているという。日本でも、輸入小麦の政府売り渡し価格を、2022年4月から17・3%引き上げた。

ウクライナは肥沃で、穀物の栽培に適し、小麦の生産高は、紛争前は世界7位（ロシアは4位）、大麦は世界5位（ロシアは2位）、トウモロコシは世界6位（ロシアは11位）で単位面積当たりの収量は、ロシアよりはるかに多い。ウクライナの穀物は、輸出拠点の黒海沿岸をロシアが封鎖しているために、容易に輸出できない。ウクライナは外貨の獲得を穀物輸出に頼っているため、紛争で穀物生産量が落ち、さらに輸出できないのは大きな痛手である。

ウクライナからの穀物の黒海経由の輸出ができるように、2022年5月末に、ロシア、ウクライナ両国との関係が良好なトルコが仲介に乗り出して、トルコ、ウクライナ、ロシア、国連が参加して監視センターをイスタンブールに設置することを提案している。ウクライナの外相も有志国の海軍が参加する国連主導の船団結成で海上交易の安全を確保する案を、同じく5月末に示していたという。

これに対してプーチンのロシアは、穀物輸出を認める条件として、ウクライナが黒海の機雷を除去すれば（機雷はロシアが設置したとの説も有力だ）、南部オデーサ港や、ロシアの管轄下にあるマリウポリからの輸出を認め、安全な航行を保障すると述べた。さらにロシアの同盟国のベラルーシ（ウクライナの北部の国）経由でバルト海から海上輸送する案が一番安価だと述べ、その条件としてＥＵの対ベラルーシの制裁解除を求めた。しかし、穀物輸出に困っているウクライナの足元を見たプーチンの勝手な提案を、ウクライナとＥＵが飲むことはあり得ないだろう。

これとは別に、黒海の西に浮かぶ蛇島（ズミイヌイ島）をウクライナが奪還して、穀物輸出の経路を確保するのではないかという観測もある。蛇島は周囲２㎞足らず、標高40ｍの小島で、東京ディズニーランドの半分ほどの面積しかない。ウクライナの南端ルーマニアとの国境をなすドナウ川の河口から東に約35㎞の地点にある。２０２２年２月24日にロシアがウクライナに侵攻した際、真っ先に制圧したのがこの小島だったのだ。当時、この島には13人の国境警備隊員が駐留していた。島に迫ったロシアの旗艦・巡洋艦「モスクワ」の降伏勧告に、「くたばれ」と罵声（ばせい）を浴びせ、一時全員戦死と伝えられたが、実際は全員捕虜になって無事だったという。この様子を描いた記念切手をウクライナが発行して話題になった。その後「モスクワ」はウクライナ産の地対艦ミサイル（ＳＳＭ）の攻撃を受けて撃沈され、ロシアが黒海の制海権を全面的に維持するのは難しくなっているようだ。

２０２２年６月10日現在では、島駐留のロシア軍は１００人程度と推定されるが、長距離対空ミサイルＳＡＭと高性能対空レーダーを搭載した「モスクワ」を失った今となっては、蛇島への補給も覚束（おぼつか）なくなっている。そこで蛇島へ集中攻撃を加えてこの島を奪還すれば、穀物の運搬を海路で行うことが可能になり、すべて陸路経由という現在の状況に比べ、はるかに効率が良くなる。オデーサ港から黒海を南下するのはまだロシアの軍艦に攻撃される恐れがあるが、陸路でドナウ川の河畔の河港まで運び、ここからドナウ川を下って黒海に出て、ひたすらルーマニアの領海内を南下して、ルーマニア最大の貿易港コンスタンツァに入港して、ここで巨大なバルクキャリア（バラ積み船）に載せ替えて、海外に運ぶというルートが確保できるからだ。

蛇島を奪還してそこに軍事施設を配備すれば、ドナウ川河口からコンスタンツァの安全は確保できる。東部戦線にほぼ全軍を張り付けているロシアに蛇島を守る余力はあまりなさそうだ。ウクライナとしてもこの島を奪回すれば、和平交渉を有利に進めることができる。何よりも穀物価格が高騰している世界を救うことができるので、西側はこの奪還作戦を応援するだろう（編集部注：ロシア軍は２０２２年6月30日、蛇島から駐留部隊を撤退させた）。

ウクライナ紛争後のＥＵのエネルギー戦略の行方

ＥＵの目論見

少し前に『ＳＤＧｓの大嘘』と題する本を出版した。発売１か月で発行部数が３万２０００部に達したので、拙著としては結構売れている方で嬉しい。２時間もあれば読めるので、是非紐解いてほしい（まあ紐で縛ってあるわけじゃないけどね。昔は、本は貴重品で、普段は帙という覆いで保護してあって、読むときにはこれを解いたのだ）。一番大事な論点は、ＳＤＧｓといういかがわしいお題目を流行らせたのはヨーロッパ（ＥＵとイギリス）の政治経済的な戦略だということだ。

ヨーロッパは化石燃料の埋蔵量が少なく、世界中で、化石燃料を自由に使っているうちは、化石燃料を沢山埋蔵している国に対して経済的に勝ち目が薄い。石炭の可採埋蔵量は、２０１８年の統計では、アメリカが一番多く（全世界の23・７％）、ロシア（15・２％）、オーストラリア（14・0％）、中国（13・2％）、インド（9・6％）と続き、インドネシア（3・5％）、ドイツ（3・4％）、ウクライナ（3・3％）である。ヨーロッパの中ではドイツの埋蔵量が比較的多い。

石油はどうかというと、同じく2018年の統計で、中東（48・3％）、ベネズエラ（17・5％）、北米（13・5％）、ロシア（6・1％）と続き、ヨーロッパは0・8％である。天然ガスの埋蔵量はロシア、イラン、カタール、トルクメニスタン、アメリカ、サウジアラビアと続き、ヨーロッパの埋蔵量は少ない。

また最近話題になっている、シェールガス、シェールオイルに関しても、シェールガスの可採埋蔵量は上位から、中国、アルゼンチン、アルジェリア、アメリカ、カナダ、メキシコ、オーストラリア、南アフリカ、ロシア、ブラジルがトップ10。シェールオイルはロシア、アメリカ、中国、アルゼンチン、リビア、ベネズエラ、メキシコ、パキスタン、カナダ、インドネシアがトップ10である。

ここから分かるように、ヨーロッパは化石燃料が乏しく、化石燃料が豊富な北米、ロシア、中国、オーストラリアなどのエネルギー大国と、エネルギーの供給において見劣りするのは避けられないのである。そこで、化石燃料は地球温暖化の元凶だという理屈を振りかざし、化石燃料をエネルギーの供給源から締め出してしまえば、エネルギーの調達において、ヨーロッパは他の大国と、この点に関しては対等な立場に立つことができる。それがＳＤＧｓの裏の本音である。というわけで、再生可能エネルギーに力点を移し、徐々に化石燃料を締め出す政策を、国連などに働きかけて進めようとしていたわけだ。

各国エネルギー政策事情

ＥＵの盟主的存在であるドイツとフランスではエネルギー政策が全く違っているが、化石燃料を締め出そうという点では軌を一にしていた。２０２１年の上半期のドイツの発電量の割合は再生可能エネルギー47・９％（風力23・４％、太陽光11・２％、バイオマス８・９％、水力４・４％）、石炭26・３％、原子力12・８％、ガス火力12・２％である。一方、フランスは原子力67・４％、火力８・７％、水力11・７％、風力７・７％で、ほぼ原子力に頼っている（２０２０年の情報）。

その結果、少し古いが２０１６年の統計では、フランスは１人当たりのCO_2排出量も年間約４・４トンと、ＯＥＣＤ加盟国の平均の７・６トンよりずっと少ない。一方ドイツは再生可能エネルギーを進めているにもかかわらず８・９トンと、日本の約９・０トンとさして変わりはない（ちなみにアメリカは15・0トン、中国は6・6トン）。ドイツの冬は寒いので、ロシアからの天然ガスを家庭用の暖房に使っているため、CO_2が出るのは分かるとして、それと同時に再生可能エネルギーのインフラ整備の際にCO_2が沢山出るのだろう。

そうやって、ヨーロッパ諸国は着々と化石燃料の締め出しを画策していたのだが、2022年2月24日に勃発（ぼっぱつ）したウクライナ紛争によって、状況は全く変わってしまったのである。特にロシアから天然ガスを大量に輸入していたドイツは紛争によってロシアからの天然ガスの供給が止まると死活問題なので、ここに来てなりふり構わず、エネルギー確保に奔走しているようだ。

この先、紛争が長引けば、ロシアからの天然ガスや石油・石炭の供給が先細りするのは確実なので、とりあえず、できるだけ沢山の化石燃料をロシアから買っておこうと、紛争勃発後の100日間で、日本円にして2兆円近くの化石燃料をロシアから買ったのである。一方でウクライナを支援し、一方でロシアから燃料を買うことで、ロシアの戦費を賄っているという矛盾したことをしているわけだ。背に腹は代えられぬということだね。

別に崇高な理念じゃない

ＥＵはロシアからの石炭を２０２２年の８月から輸入禁止にした。もともと石炭火力はCO_2を排出するということで、ＥＵのエネルギー戦略からは廃止の方向で検討されていた。ところがエネルギー危機に直面しているドイツは、休止中の石炭火力発電所を再稼働すると発表した。これはCO_2削減というＥＵの基本政策に対する反抗である。

先に述べたようにＳＤＧｓというお題目の下にCO_2を削減するというのは、ＥＵの対世界戦略で、別に崇高な理念に基づいてやっているわけではないことがよく分かる話である。ロシアはウクライナの肩を持つＥＵへの対抗措置として天然ガスの供給を意図的に絞って、ＥＵを兵糧攻めにしようとしているが、これに対抗するには原発、火力、再エネなどでの発電を推進するほかはない。

CO_2の削減を政策に掲げている手前、普通に考えれば、火力発電の選択肢はなさそうに思える。フランスは、既存の原発が老朽化して発電能力が低下していることもあって、原発を最大14基新設して、脱炭素社会のトップランナーにならんと意気盛んである。フランスやドイツは地震が少なく、原発の設置はそれほど危険ではない。日本のように地震が頻発する国では、原発は危険極まりない装置である。地震の多い台湾やイタリアでも原発を最終的には廃止する方針を固めている。本題から外れるけれども、日本も原発は最終的には廃止した方が国の安全保障に資すると思う。
安全保障というと、戦争のことだけを考える人が多いと思うが、国民の命を守ることが、何であれ最も大事な安全保障であり、原発は戦争の時の標的にされるという危険性を割り引いても速やかに廃止した方が賢いと思う。それに、戦争は外交的な努力によって回避することができるが、地震は人間の努力によっては回避できない。

合理的に考えれば、ドイツはフランスの真似をして原発を推進すればよさそうなもので、実際、２０２２年で稼働をやめることになっていた原発を暫く動かせという意見もあったが、与党の一翼の「緑の党」が原発に強く反対しているという政治的な理由により、ドイツ政府は、原発の再稼働延長案を却下した。これで、発電量の12・８％を担っていた原発からの電力供給が、２０２３年にはなくなり、ドイツのエネルギー逼迫(ひっぱく)は危機的状況に追い込まれる。因(ちな)みに、緑の党の支持率はウクライナ紛争以降急落しているので、暫くすると、原発の再稼働案が再浮上するかもしれないけれどね。

とすると、再エネと火力発電しか選択肢はなくなる。先に述べたようにドイツは再エネ発電が盛んで、風力23・４％、太陽光11・２％、バイオマス８・９％である。風力が主体だが、バルト海沿岸の適度に風が吹く立地条件のいいところにはすでに風車が林立しているし、さらには低周波による健康被害や、風車に巻き込まれて鳥が犠牲になるといった問題もあり、これ以上増やすのは難しい。ドイツは一時太陽光を積極的に推進したが、日照時間が短く、そもそも太陽光発電にはあまり向いておらず、コストパフォーマンスが悪い。ドイツの電気代はＥＵの中でも非常に高い。

風力や太陽光といった自然エネルギーの発電量は一定ではなく、気象条件に左右される。例えば、雨の日や曇りの日が続けば太陽光発電の効率は下がる。自然エネルギーに頼れば頼るほど、発電量が激減した時のバックアップの発電所がなければ、電力が不足して停電の恐れがある。電力が余っている時にはバックアップの発電は止めて足りなくなったら動かすという、小回りの利く発電には火力発電が最も適している。

舌の根も乾かぬうちに

というわけで、化石燃料とりわけ石炭火力の早急な廃止をＣＯＰ26（２０２１年11月の国連気候変動枠組条約第26回締約国会議）に盛り込もうと躍起になっていたドイツが、舌の根も乾かぬうちに火力発電を推進することになったわけだ。ご都合主義もいいところだ。化石燃料の廃止が自国に都合がいい時には、声高にそれを主張し、都合が悪くなれば、化石燃料を使いたいという。すべて自分たちの利益のためで、本当は人為的地球温暖化の危機などつゆほども信じていないことがよく分かる。

先に述べたようにドイツは石炭の埋蔵量が比較的豊富である。その大部分は褐炭という質の悪い石炭だが、炭鉱の傍に火力発電所を造れば効率も良く、安価な電力が供給できる。よく知られているように石炭発電の単価は原発と並んで一番安い。ドイツのように自国で生産できる石炭を使えば、単価はさらに安くなるはずだ。現在は排出されるＣＯ$_2$を除去する技術も進んでおり、この技術が普及すれば、石炭火力は地球温暖化の元凶だと非難することも難しくなる。

ポストウクライナ紛争のＥＵのエネルギー戦略は、ロシアからの天然ガスの供給が止まっても成り立つような対策を余儀なくされるだろう。そうなるとロシアは化石燃料の供給を止めるというカードを切れなくなり、国力は益々下がることになる。それはともかく、ＥＵのエネルギー戦略の主力となるのは原発と再エネと石炭火力ということになるはずだ。ＥＵが石炭火力を使い始めれば、ヒステリックな人為的地球温暖化というペテン話も多少は収まるかもしれない。原発が不向きな日本は、これを奇貨として、石炭火力に力を入れた方がいいと思う（メガソーラーと風力がダメな理由は『ＳＤＧｓの大嘘』を読んで下さい）。

エネルギー戦略・日本どうする

地震大国のエネルギー戦略

　前項ではウクライナ紛争後のＥＵのエネルギー戦略について話したが、今回は日本のエネルギー戦略について、思う所を述べてみたい。岸田文雄（きしだふみお）首相は、原発を最大９基、火力発電所を10基稼働させて、この冬（２０２２年）の電力供給を確保したいと述べたが、原発はＥＵ諸国などの地盤が安定している場所ならばともかく、日本ではリスクが大きすぎて賛成できない。

　ヨーロッパはほぼユーラシアプレートの中に位置し、イタリアとアイスランドを除いて地震はほとんどない。イタリアはユーラシアプレートとアフリカプレートの間に位置し、アイスランドはユーラシアプレートと北アメリカプレートの境にあって、地震大国かつ火山大国である。

そのせいで、イタリアは1987年のチェルノブイリ事故を受けて原発の運転を停止して、その後原発を動かしていない。電源構成比は化石燃料が60％、水力が17％、その他の再生可能エネルギーが23％である（2018年）。再生可能エネルギーの内訳は太陽光8％、風力6％、地熱2％、バイオマス等7％であり、火山大国にしては地熱の割合は多くない。

一方、アイスランドでは電源はすべて再生可能エネルギーで、地熱が20～30％、残りは水力である。地熱は、電力ばかりではなく家庭用の暖房や給湯にも使われており、暖房費は石油を使う場合の4分の1だという。人口が37万人とごく僅かだということもあるが、自然の恵みを上手に使っていることは確かだ。

日本に地震が多い理由は地質学的にははっきりしている。日本列島に沿ってプレートの境目が縦横に走っているからだ。東方の太平洋プレートと西方のユーラシアプレートの間に、北方から北アメリカプレート、南方からフィリピン海プレートが入り込み、いたるところが地震の巣なのだ。例えば、2011年の東日本大地震は太平洋プレートと北アメリカプレートの境目に当たる、三陸沖の太平洋で起きたし、2030年～2040年に、まず間違いなく起こると考えられている南海トラフ地震は、フィリピン海プレートとユーラシアプレートの境目に当たる紀伊半島沖から四国沖で発生すると予想されている。

福島第一原発の事故はまだ終息のめどさえ立っていないのに、さらに何基も原発を動かそうというのは、正気の沙汰とは思えない。一度、大事故を起こした時の悲惨さは、他の発電施設の比ではない。確かに短期的には発電単価は安く、コストパフォーマンスは高いだろう。しかし、それは、自動車を運転するのに自賠責保険をかけない方が安上がりだというのと同じだ。事故が起きれば、トータルの発電単価は天文学的な数字になる。

確率的に大地震は必ず起き、それに随伴して、原発事故が起きる蓋然性は高い。今日も明日も明後日も大丈夫だと言っても、50年後まで大丈夫だという保証はない。喉元過ぎれば熱さを忘れる、ということわざがあるが、福一の事故はまだ喉元さえ過ぎていない。原発を動かさなければ、国民が生きていけないわけではないのだから、原発ゼロを前提に電源戦略を見直した方がいい。

日本の電源構成

というわけで、現在の日本の電源構成についてまず見てみよう。２０２０年の統計でみると、化石燃料が76・３％で、内訳はＬＮＧ39・０％、石炭31・０％、石油６・３％である。原子力３・９％、再生可能エネルギー19・８％で、内訳は水力７・８％、太陽光７・

9％、風力0・9％、地熱0・3％、バイオマス2・9％だ。前回書いたように、ドイツは2022年度をもって、電源構成比12・8％を担っていた原発をやめて、他のエネルギーに切り替えると宣言しているわけだから、僅か3・9％の日本が、他のエネルギーに切り替えることができないはずはない。

政府は、SDGsの追い風もあって、太陽光や風力に力を入れているが、太陽光発電には広大な敷地が必要で、1MW（1000KW）の出力の発電所を設置するのに、1～2ha（10000～20000㎡）の面積が必要である。風力発電所はさらに広大な面積が必要で、同じ出力を出すのに、太陽光発電のさらに3・5倍の面積が要る。原子力発電所はこれらに比べ同じ出力を出すのに太陽光発電所の100分の1の敷地面積で済む。火力発電所はさらに狭い敷地面積で事足りる。

日本のように狭い国土で、太陽がよく当たる場所にメガソーラーを大量に設置するのは国土の有効利用の観点からしても賢くない。食料自給率がカロリーベースにして38％しかないのだから、穀物を作って備蓄しておいた方が安全保障上ずっと賢い。さらに、太陽光発電や風力発電の発電量は安定せず、お天気次第という欠点がある。

前項にも書いたように、こういった自然エネルギーに依拠すれば、例えば太陽光発電の比率が増えれば増えるほど、雨が続けば電力が足りなくなる。風力発電に頼ると、無風の日が続けば、やはり電力が足りなくなる。そうなると、代替のエネルギー源が必要になり、結局火力発電所を造らざるを得なくなる。

電力は送電線が長くなればなるほど、途中で減衰してしまうので、発電所はなるべく原力消費地の近くに建てた方が効率がいい。その点、火力発電は原子力やメガソーラーや風力と違って立地条件を選ばないので、消費地の近くに建てることができ、その分コストパフォーマンスはいい。

地熱発電が進まない深いワケ

多くの人が問題にしているのはＣＯ$_2$の排出に関してだろう。私は、あちこちで書いているように、化石燃料の燃焼に伴うＣＯ$_2$の人為的排出が地球温暖化の主たる要因だとは思っていないが、最近の火力発電は技術革新のおかげで、見違えるように進歩して、ＣＣＳ（carbon capture and storage）にも実用化のめどが立ってきた。ＣＣＳとは二酸化炭素の回収・貯留のことで、火力発電所から排出されるＣＯ$_2$をトラップして地下に貯留し、大気中に放出されないようにすることだ。この技術が進歩して安価に行えるようになれば、石炭火力発電を忌避する理由はなくなるわけで、原子力発電はやめて、火力発電に全面的に切り替えることが可能になる。

エネルギー供給の安全保障上、次なる問題は火力発電の原料をどこから輸入しているかということだ。ドイツはロシアから天然ガスを大量に買い付けていたせいで、未曽有（みぞう）のエネルギー危機に陥っているので、輸入先の国との関係はとても大事だ。

まず天然ガスの最大の輸入先は2020年の統計によれば、オーストラリアが輸入量の37・2％を占める。次いでマレーシア13・7％、カタール11・9％、ロシア8・4％、アメリカ8・1％、ブルネイ5・3％、パプアニューギニア4・5％である。前項に書いたように、天然ガスの可採埋蔵量はロシアが一番多く、次いでイラン、カタール、トルクメニスタン、アメリカ、サウジアラビアの順である。日本は天然ガスの輸入先としてロシアにあまり依存していなかったので、ウクライナ紛争に際してさほど大きなダメージを受けなかった。日本の輸入先第1位のオーストラリアは、天然ガスの埋蔵量が世界20位前後で、それほど多くない。

次に石炭の輸入先を見てみると、ここでもオーストラリアが断トツの68・3％。日本の石炭火力の原料はほぼオーストラリアに依存していることが分かる。次いでロシア14・6

%、インドネシア11・5%、カナダ3・1%、アメリカ2・3%である。石炭の可採埋蔵量は、アメリカ、ロシア、オーストラリア、中国の順で、アメリカは、いざという時のために、石炭をあまり輸出するつもりがないのかもしれない。日本がこれからも火力を主たる電源とし続けるためには、オーストラリアとの良好な関係を続けることが、とても大事だということがよく分かる。

因みに電力源としてはあまり重要ではないが、原油の輸入先のトップはサウジアラビアで42・5%、次いでアラブ首長国連邦29・9%で、この2国だけで70%を超える。電気自動車が囃(はや)されているが、ガソリン車やハイブリッド車の方がはるかにコストパフォーマンスがいいので、原油の重要性はこれからも続くだろう。

先に、アイスランドでは地熱発電が盛んだという話をしたが、日本は火山国で地熱発電に向いているはずで、地熱の開発にもっと積極的になっていいと思う。現在は電源のわずか0・3%で、再生エネルギーの中でも低位に甘んじているが、アイスランドで利用されている地熱発電のインフラは日本の技術を使っているので、日本でも地熱発電の電源構成比を少なくとも2桁(けた)には上げられると思う。

日本の地熱資源はアメリカ、インドネシアに次いで、世界第3位であるが、立地条件の良いところが、開発の規制を受ける国立公園だったり、あるいは温泉業界が、温泉が枯渇するという危惧（きぐ）から反対したりして、なかなか開発が進まない。

地熱資源保有国第8位のアイスランドが利用している地熱エネルギーは約７５０ＭＷであるのに対し、第3位の日本が利用しているのは５００ＭＷに過ぎない。日本の地熱資源量からして原発20～25基相当の発電が可能と試算されているが、今のところ開発は遅々として進まない。原発より地熱発電の方が安全なのは明らかなのだから、政府はなぜ、温泉業者を説得して地熱発電の推進に舵（かじ）を切らないのか不思議だ。何か深い（怪しい）事情があるのだろうね。

後進国日本の婚姻制度

LGBTの生物学的認識

男性から女性に性別変更した人が、凍結していた自分の精子でパートナーの女性との間に儲けた子を、自分の法的な子として認めてほしいと訴えた裁判で、２０２２年８月19日、東京高裁は不可解な判決を出した。この人はパートナーとの間に２人の子がおり、長女は性別変更する前に生まれた子で、次女は性別変更した後で生まれた子である。

自分の公的な子として認知するように訴えた一審の東京家裁で、長女も次女も法的な子として認められなかったので控訴していたのだ。東京家裁の判決理由は「女性に性別変更したため法律上の父とはならず、出産していないから法律上の母にもならない」というものだった。生物学的な、すなわち正しい親子関係は遺伝子の垂直伝播によって決まり、法律によって決まるわけではない。今回の東京高裁は、東京家裁の判決を覆し、長女については法的な親子関係は認めたが、次女については認められないとした。

長女が生まれたときは男性だったので公的な親子関係として認めるが、次女が生まれたときは女性だったので公的な親子関係として認めないという理屈だろうが、性別変更したからといって、この人が生物学的に男性から女性に変わったということではないのだ。そもそも、性や性別に関する日本の法律は世界水準から見てどうしようもなく時代遅れで、早急に法律を変える必要があるが、マイノリティの権利よりも自分たちの金儲けの方が大事な政治家たちは、法律を変えるつもりはないらしい。

ＬＧＢＴの権利を擁護すべきという意見が強くなってきた背景にあるのは、ＬＧＢＴは個々人に備わった個性であって、異常でも病気でも障害でもなく多様性の一つだという生物学的な認識にある。確かにＬＧＢＴはマイノリティであるが、マイノリティが障害であれば、平均値から極度にずれた人は障害者ということになる。オリンピックで金メダルを取る人は運動障害者であり、東大にトップで合格する人は脳障害者だ。これらの人が障害者でないならば、ＬＧＢＴも障害者ではない。

かつては、人は男と女にはっきりと分かれていて、中間的な存在は異常だと思い込みたかった人が多かったという事情もあったのだろう。以前出版した拙著『バカの災厄』にも書いたけれど、多くの人は細かい差異を無視して同一性を捏造したがる。それで、すべての人は男と女という同一性に回収されて、それ以外の同一性は存在しないと信じれば、そこからはみ出るものは何であれ異常ということになる。日本の法律はそういう信憑の上に成立しているので、生物学的な事実を完全に無視している。

受精後8週くらいにY染色体にあるSRY遺伝子が働きだすと男の体になり、これが働かないと女の体に育つ。稀に交差によってSRY遺伝子がYからXに移ることがあり、このSRYが働くと性染色体がXXでも男の体に育つ。逆に、SRYがあっても働かなければ女の体になる。性自認（自分を男だと思うかあるいは女だと思うか）はそれよりずっと後、20週くらいになって決まる。視床下部の分界条床核は男では大きいが女では小さく、この大きさにより性自認が決まる。中には体は男でも分界条床核が女並みに小さい人があり、この人の性自認は女になる。一方体は女でも分界条床核が男並みに大きい人は、性自認は男になる。これらの人は所謂トランスジェンダーである。分界条床核が中間くらいの人は性自認が判然としない。これらすべての人は正常に育つわけだから、性自認には多様性があるということで、矯正しなければならない理由はない。

日本では今も、法律などではトランスジェンダーの人を「性同一性障害」と呼んでいるが、障害ではないので、この呼称は使わない方がいいと思う。日本の法律は、自分の性自認に合わせて、戸籍上の性とは別の性に変更したい人に対して、ほとんど虐待に近い難題を押し付けている。「性同一性障害者の性別の取扱いの特例に関する法律」、所謂「性同一性障害者特例法」というのがあって、性別を変更するには、次のような要件を満たさないといけないと記してある。

1. 18歳以上であること
2. 現に婚姻をしていないこと
3. 現に未成年の子がいないこと
4. 生殖腺がないこと又は生殖腺の機能を永続的に欠く状態にあること
5. その身体について他の性別に係る身体の性器に係る部分に近似する外観を備えていること

ひどい悪文であるが、要するに自分の望む性に変更するには、男から女になる時には睾(こう)丸(がん)とペニスを除去し、女から男になる時には卵巣を除去してペニスらしきものを付けろということだ。これは性別を変更したいトランスジェンダーに対する虐待だ。日本では同性婚を認めていないので、婚姻中に性別変更すると自動的に同性婚になるため、非婚を要件にしているのだろうが、さっさと同性婚を認めれば何の問題もない。

一番の問題は生殖能力をなくせ、という要件で、これは体への侵襲を正当化するもので、憲法違反だろう（編集部注：２０２３年10月25日に最高裁大法廷において、この要件について「憲法に違反する」との判断が示された／ＮＨＫ ＮＥＷＳ ＷＥＢ「性別変更の手術要件めぐり 特例法の規定は憲法違反 最高裁」より）。ＥＵはじめ多くのまともな外国では同性婚は合法だし、性別変更に際し、生殖腺を除去しろなどといった虐待要件はない。冒頭の判決に戻れば、自分の子であるのは間違いないのだから、同性婚を認めれば、長女も次女も共に法律上の親子関係であって何の問題もないのだ。

婚姻制度後進国

ところで、日本はなぜ同性婚を認めないのだろうね。同性同士が結婚するのは不自然だといったどうしようもない意見が散見されるが、生物学的には同性愛者にとって同性婚が一番自然なのだ。結婚は子供を作るためにするわけじゃない。ＬＧＢＴは子供を作らないから生産性がないと言っている馬鹿がいるが、異性同士が結婚しても子供を作らないカップルもいるし、子供ができない人もいるし、年寄りは子供を作らないから、こういう人たちは全部生産性がないから抹殺しようというのなら、ナチスよりも過激だが、筋は通っている。単にLGBTが嫌いなだけなのだろうが、人には好き嫌いがあって、嫌いなのは構わないが、くだらない理屈をつけて自分の好き嫌いを正当化するのは間違っている。

先に同性愛には生物学的根拠があると記したが、同性愛者の脳は構造的に異性の人を性的に愛することが難しくできているようだ。男性の同性愛者では先に述べた分界条床核の近くにある前視床下部間質核という部位が、異性愛者より小さく、通常の女性と同じくらいの大きさだという。この部位が大きいと性的には女性を好きになり、小さいと男性を好きになるようだ。女性の同性愛者についての報告はないようだが、もしかしたら、この部位が男性並みに大きいのかもしれない。中には中間くらいの人もいるだろうから、この性質も身長と同じような個性であって、いろいろな人がいるというだけで、正常な範囲内の多様性なのだ。

西洋社会では4世紀の中ごろから、同性愛は犯罪とされ、多くの同性愛者が処刑されたり迫害されたりした。キリスト教の影響が強くなって、宗教が個人の性生活に介入し始めたからだ。それまでは同性愛は性関係の多様性の一部であった。プラトニック・ラブとは元来は男性の同性愛のことで、プラトンが同性愛者であったという話に由来する。そのことから分かるように、ギリシャ時代は同性愛者が社会的に迫害されることはなかった。

西洋では同性愛者への偏見と迫害は20世紀後半まで続き、例えばイングランドでは１９６７年まで、スコットランドでは１９８０年まで、北アイルランドでは１９８２年まで、同性愛は違法であった。この悪法の被害者として最も有名なのはアラン・チューリングである。

コンピュータ・サイエンスの創始者として、今でこそ、天才の名をほしいままにしているチューリングは、イギリスがまだ同性愛を違法にしていた１９５２年、同性愛の罪で逮捕されて保護観察の身となり、世間の非難を一身に浴び、当時、性欲を抑えると信じられていた女性ホルモンを投与され、１９５４年に自殺している。

チューリングはまた暗号解読の天才で、ドイツ軍の複雑な暗号を解読した最大の功労者である。チューリングなかりせば、戦争の行方はどうなったか分からないほどの救国の英雄なのだが、このことは長らく秘密にされており、そのことを知らない当時のイギリスの大衆は、同性愛者チューリングを口汚く罵（ののし）ったのである。

チューリングの死後59年経った２０１３年に、英政府はチューリングを赦免するとともに、2016年に「アラン・チューリング法」と呼ばれる措置で、同性愛で有罪となったまま亡くなったすべての同性愛男性を赦免した。尤も、有罪となってまだ生きている男性の中には、「私が欲しいのは謝罪であって赦免ではない」とこの措置に怒っている人もいるという。なおイギリスでは2014年に同性婚が合法化された。

翻って日本は、男性同性愛は男色として古くから公然と行われており、違法であったことはないにもかかわらず、いつまでたっても同性婚の合法化は進まない。夫婦別姓も然り。経済も凋落し続け、婚姻制度も世界標準から取り残されたままだ。日本はまだ先進国だという妄想に耽っている人は相当ひどい病気だと思う。

昭和記念公園にチューリップを見に行く

鯉に判官びいき

先日、昭和記念公園にチューリップを見に行ってきた。ここにはもう何度も来ているが、チューリップを見に来たのは初めてである。この公園はもともと飛行場で、１９２２年に陸軍航空部隊の中核拠点として開設された。一時は民間にも開放されていて、１９２８～33年まで立川―大阪間の定期航空路が開かれていた。その後、陸軍の専用となり、太平洋戦争の敗北で、米軍に接収された。１９７７年に全面返還され、１９８３年国営昭和記念公園として開園した、というのが簡単な沿革である。

昔は飛行場というだけあって、確かに公園の北端に小さな丘がある以外はほぼ平らな敷地で、アップダウンがあまりなく、園内を走るパークトレインという乗り物もあり、トイレが50か所もある。足腰が弱って尿意が近くなった老人向けの公園だ。駐車場は三つあって、普段は北にある砂川口の駐車場に停めるのだが、チューリップの盛りで平日でも混んでいるかもしれないと思い、一番広い立川口駐車場に停めた。思ったより空いていた。駐車料金は８４０円、入園料は65歳以上のシルバーパスで２１０円、女房と２人で４２０円である。

ちなみに大人15歳以上は４５０円、小中学生は無料。園内にはペット連れが多いが、ペットの入場料は知らない（無料かしら）。混んでいる時は、イヌは結構迷惑なので、ペットの入場料も取った方がいいと思うが、余計なお世話か。ちなみにネコを連れて歩いている人は見たことがない。

出発が遅かったので、お弁当を作らずに、立川口から入ったところにある「ふれあい広場レストラン」で昼食を食べる。以前ここで昼食を食べたときに、余ったパンを、公園の中心部にある「水鳥の池」で鯉にあげたことがある。パンを鯉にあげて何が楽しいかとお思いの人もいるでしょうが、暫くすると沢山の鯉が集まってきて、投げ入れたパンの争奪戦を演じるのを見るのが結構面白いのである。

見ていると、要領よく次々にパンを食べる鯉もいる一方、どんむさく一向に上手く食べられない鯉もいる。こうなると判官びいきをしたくなり、どんむさい鯉の前にパンを投げるのだが、俊敏な鯉が飛び上がらんばかりにパンをめがけて突進して来て横取りしてしまう。何回か試すうちに、やっとお目当ての鯉の口にパンが収まると、ちょっと嬉しい。

チューリップバブル

それで先ほどのレストランの話に戻る。パンが付いているメニューには美味（おい）しそうなものがなく、女房が920円のサクラエビのスパゲッティを食べるというので、私も同じものを食べる。食べ物のチョイスに関しては自主性というものがまるでないのである。女房がこれで920円は高すぎるというので、多分高すぎるのであろう。高杉晋作（たかすぎしんさく）だな、と親父ギャグを言う。おにぎりを作って持ってくればよかった。

時に、お目当てのチューリップ畑はどこにあるのだろう。あらかじめ調べて来なかったので、園内をうろうろしていると、ところどころにチューリップがまとめて植えてある。しかし、いかにも規模が小さい。まさかこれじゃないよね、と言いながら歩いていくと、「渓流広場」に人だかりができている。池の周りに見事なチューリップの畑が広がっていた。区画ごとに同じ色のチューリップがまとめて植えてあり、デザイナーのセンスの良さが窺（うかが）える。すぐ後ろを歩いている初老の女性が「桁違いだよね」と言っているのが聞こえる。一緒に歩いている数分の間に、同じ言葉を4、5回発したのがおかしかった。よほど感激したのか、語彙が乏しいのかは知らない。

植えてあるのは概ね、赤、黄色、白、紫などの単色の一重のチューリップで、八重のものや、黄色に赤が混ざったモザイクのものもある。沢山モザイクがかかったチューリップは、チューリップモザイクウイルスに侵されたものであるが、ここのモザイクのチューリップは恐らく健全な株なのであろう。かつて、「町田えびね苑」に行った時に、ほとんどのえびねがウイルスに罹患していて驚いたことがある（今は知らない）。

それで、思い出したのは17世紀のオランダで起きたチューリップバブルの話だ。チューリップは16世紀の半ばにオスマン帝国から神聖ローマ帝国のウィーンにもたらされ、16世紀の終わりにオランダで人気が出て、本格的に栽培され始めた。17世紀になると、チューリップの球根は投機の対象になり、球根一つで、当時の熟練工の年収の10倍、バター1トンの価格の20倍もの値が付いたものもあったようだ。特に高価だったのは、花弁に複雑な線や炎のような模様が入ったもので、今日的見地からすれば、これはチューリップモザイクウイルスに冒されていたに違いない。チューリップの球根の価格は１６３７年の2月の頭に最高値を付けた後、いきなり暴落してチューリップバブルは終焉した。

チューリップの球根といった、それ自体は人が生きるための必需品ではないものに、人々が熱狂するのは、チューリップの球根はさらに高く売れるであろうとの幻想を抱くからである。ある時誰も買ってくれなくなれば、球根の価値はなくなり、人々は幻想から覚めてバブルは終わるのである。

考えてみれば、お金も同じようなもので、紙幣自体にはいかなる実体的な価値もないが、紙幣で何か別のものが買えると信じるので、ものと紙幣の交換が成立するのだ。紙幣を差し出しても誰もものと交換してくれなければ、紙幣はただの紙切れになって、貨幣経済は崩壊する。ロシアがデフォルトに陥ってしまえば、ルーブル紙幣は紙切れになってしまうかもしれないね。実際、第一次世界大戦後のドイツはハイパーインフレに見舞われ、紙幣は紙切れになってしまった。

撮影の難しいチョウトンボ

渓流広場の東には大きな原っぱがあって、その北の一角は「桜の園」で、お花見の頃はさぞかし混み合うに違いない。花はすでに終わって葉桜になっていた。近くの福生(ふっさ)の多摩(たま)川(がわ)沿いのサクラは外来種のクロジャコウカミキリ（クビアカツヤカミキリ）に食害されていたので、ここは大丈夫かなあと思って見廻ってみたが、根元からフラス（幼虫の食べかすと糞が混ざったもの）が出た様子がなかったので、とりあえず大丈夫みたいだった。

　ここから少し北に行くと、「トンボの湿地」と「日本庭園」があり、夏には、関東地方では珍しくなったチョウトンボが沢山発生する。チョウトンボはもちろんチョウではなくてトンボで、翅が普通のトンボより幅広でひらひら飛ぶので、この名がある。青紫色の翅がキラキラと光って美しい。余談だが、ベトナム語では、チョウのことをブーンブーンと呼び、トンボのことをチョウチョウと呼ぶのだ。時期になるとチョウトンボをカメラに収めようと多くの人がやってくるが、チョウトンボはなかなか止まらず、撮影は難しい。

　日本庭園の中の池には夏にはギンヤンマが多い。キイトトンボという最近あまり見かけないイトトンボもいる。池や湿地が多いせいかトンボの種類は多い。他にウチワヤンマ、ショウジョウトンボ、マユタテアカネ、シオカラトンボ、オオシオカラトンボ、コシアキトンボ、アオイトトンボなどがいる。トンボの図鑑を片手に散策すると楽しいと思う。但し熱中症に注意。

　チョウはあまりいないが、アカボシゴマダラは沢山いる。春型は真っ白で大きくて、夏型は少し小ぶりで後翅の外縁に赤い星が並んでいて綺麗である。外来種だと言って嫌う人がいるが、日本の生態系に大きな侵襲を与えないので存在していても問題ないと思う。それに、当のアカボシゴマダラはもう何世代も前から日本に棲んでいるので、アカボシゴマダラが喋れたら、私は日本の在来種だと言うに違いない。草原が多いせいか、最近あまり見なくなったジャノメチョウが結構いるのも楽しい。

1億円の盆栽

日本庭園の中にある「盆栽苑」は必見の価値がある。全国の愛好家から寄贈されたものだそうだが、なかなかの銘品が飾ってある。樹齢400年の真柏、300年の蝦夷松、230年の五葉松、90年の山桜、80年のひめしゃら等々、何度見ても飽きない。中でも珍しいのはブーゲンビリアの盆栽であろう。大小2鉢あり、6月初旬ごろに行くと花の盛りの盆栽を観賞できる。

盆栽はいかにも日本的な趣味だと思う。小さな鉢で栽培すると、葉も小さくなって、幹も太くならないが、古木の雰囲気だけは保たれて、100年の古木の盆栽は100年の大木の縮小版という感じになる。人工的に手入れをして、いかにも自然の風情を醸しだすという趣向は、西洋ではあまり見られないと思う。

盆栽を趣味にしている人は多いが、自分よりはるかに高齢で、自分が死んだ後もずっと長生きするであろう盆栽を管理するには、孫子の代まで盆栽の面倒を見てもらう必要がある。そんな幸運に恵まれる人は多くはない。日本で一番の盆栽の持ち主は天皇である。しかし、皇居の盆栽は、天皇個人の持ち物というよりも皇室の財産で、主が亡くなっても手入れをする人がいなくなるわけではないので、管理は行き届いていて、素晴らしい銘品が沢山ある。中でも最高の逸品は「三代将軍」という銘の五葉松で、徳川家光が愛蔵していたと伝えられ、樹齢は550年と言われる。

昭和記念公園や皇居の盆栽には値が付いていないが、展示即売会などに行くと、1億円の盆栽などが置いてある。買った途端に枯れたらどうなるのだろうと余計な心配をしたくなる。まあ、盆栽バブルになることはないだろうけどね。

本書はメールマガジン「池田清彦のやせ我慢日記」２０２２年４月22日〜２０２３年８月25日配信分から抜粋、再構成のうえ、加筆・編集したものです。

池田清彦（いけだ・きよひこ）
1947年、東京生まれ。生物学者。早稲田大学名誉教授。構造主義生物学の立場から科学論・社会評論等の執筆も行う。カミキリムシの収集家としても知られる。著書は『ナマケモノに意義がある』『ほんとうの環境白書』『不思議な生き物』『オスは生きてるムダなのか』『生物にとって時間とは何か』『初歩から学ぶ生物学』『そこは自分で考えてくれ』『やがて消えゆく我が身なら』『真面目に生きると損をする』『正直者ばかりバカを見る』『いい加減くらいが丁度いい』『本当のことを言ってはいけない』『どうせ死ぬから言わせてもらおう』『バカにつける薬はない』『生物学ものしり帖』など多数。

人間は老いを克服できない

池田清彦

2023 年 12 月 10 日　初版発行

発行者　山下直久
発　行　株式会社KADOKAWA
〒102-8177　東京都千代田区富士見 2-13-3
電話　0570-002-301（ナビダイヤル）
装 丁 者　緒方修一（ラーフイン・ワークショップ）
ロゴデザイン　good design company
オビデザイン　Zapp!　白金正之
印 刷 所　株式会社暁印刷
製 本 所　本間製本株式会社

角川新書

ISBN978-4-04-082488-8 C0295

KADOKAWAの新書 好評既刊

ヒストリカル・ブランディング
脱コモディティ化の地域ブランド論

久保健治

歴史とは模倣できない地域性である。相変わらずのハード(箱もの)頼みなど、観光マーケティングはズレ続けている。各地で歴史文化と観光の共生に取り組む研究者・経営者が、無形価値を可視化する方法など差別化策を具体的に解説する。

問いかけが仕事を創る

野々村健一

ロジカルな「答え探し」には限界がある。大事なのは0→1の発想を生み出す「問いかけ」の力だ。企画、営業など様々なビジネスの場面で威力を発揮する「問い」の方法論を、豊富な事例を交えて解説。これは生成AI時代の必須スキルだ。

戦艦武蔵の最期

渡辺 清

〝不沈艦〟神話を信じ、乗り組んだ船で見たのは悲惨な戦場の現実だった――暴力と不条理、無差別に訪れる死。実際の乗艦経験をもとに、戦場の現実を描いた戦記文学の傑作。鶴見俊輔氏の論考も再掲。解説・一ノ瀬俊也

箱根駅伝に魅せられて

生島 淳

正月の風物詩・箱根駅伝が100回大会を迎える。その歴史の中で数々の名勝負が生まれ、瀬古利彦、柏原竜二らスター選手、大八木弘明、原晋ら名監督を輩出してきた。45年以上追い続けてきた著者がその魅力を丹念に紐解く「読む箱根駅伝」。

核の復権
核共有、核拡散、原発ルネサンス

会川晴之

ロシアによる2014年のクリミア併合、そして22年のウクライナ侵攻以降、核軍縮の流れは逆転した。日本国内でも突然「核共有」という語が飛び交うようになっている。核報道をリードする専門記者が、核に振り回される世界を読み解く。